Breve atlas de historia de España

Alianza Atlas

Juan Pro
Manuel Rivero

Breve atlas de historia de España

Alianza
Editorial

Diseño y coordinación cartográfica: Celia Marina Romano

© 1999 Juan Pro Ruiz y Manuel Rivero Rodríguez
© Alianza Editorial, S.A., Madrid, 1999
Calle Juan Ignacio Luca de Tena, 15; 28027 Madrid; teléf. 91 393 88 88
ISBN: 84-206-8659-x
Depósito legal: M. 33.647-1999
Impreso en Orymu. Madrid
Printed in Spain

Índice

Introducción

Los *atlas* constituyen un género muy extendido en Occidente desde que Abraham Ortelius publicara el primero (*Theatrum orbis terrarum*, Amberes, 1570), como resultado de la fabulosa ampliación del mundo conocido por los europeos a raíz de las exploraciones geográficas. Desde entonces no han cesado de publicarse y enriquecerse este tipo de libros, formados por una colección de mapas que representan las diferentes regiones del mundo o de un país: eran imprescindibles para orientarse, viajar, tomar decisiones o, simplemente, ser un hombre culto. Su nombre procede de la costumbre, iniciada por Mercator en el siglo XVI, de representar en la portada la imagen de Atlas, personaje de la mitología griega que sostenía la bóveda del cielo sobre sus espaldas para mantenerlo separado de la Tierra. Sólo en la época contemporánea la maduración de la Geografía y de la Historia como disciplinas académicas llevó a concebir la idea de hacer mapas y atlas *temáticos*, dedicados a representar gráficamente la distribución espacial de un tema o fenómeno concreto, y aparecieron así —en el siglo XIX— los *atlas históricos*, que reúnen una secuencia de mapas representativos de diferentes momentos del pasado.

Los atlas históricos fueron producto de la aparición de escuelas historiográficas *nacionales*, que ponían su trabajo de investigación del pasado al servicio de la construcción de identidades nacionales. La mentalidad nacionalista equipara la vida de los pueblos con la de los individuos de carne y hueso, tratándolos como sujetos colectivos y, por lo tanto, biografiables. Las historias nacionales se afanan en contarnos la vida de esos personajes (los pueblos) desde que fueron concebidos hasta que alcanzaron su madurez, decadencia y —eventualmente— su muerte (que aparece siempre en el futuro como un «peligro» si no se conjuran las amenazas a la identidad nacional).

Desde esa perspectiva, los atlas históricos surgieron para desempeñar un papel similar al del álbum fotográfico familiar, donde se pueden rememorar visualmente los primeros pasos del país, sus balbuceos, su mayoría de edad y los hitos más señalados de la trayectoria posterior. Algunas fotos tenían que ser evidentemente falsas o, al menos, retocadas para embellecer el conjunto. Porque, como sabemos desde el siglo XIX, «el olvido e incluso diría el error histórico, son un factor esencial en la formación de una nación, y de aquí que el progreso de los estudios históricos sea frecuentemente un peligro para la nación» (Ernest Rénan, *¿Qué es una nación?*, 1882) . Durante su larga vigencia, pues, la historiografía nacionalista de todos los países se ha ocupado de hacer una reconstrucción teleológica del pasado, ocultando la complejidad real de las cosas para proyectar hacia atrás las identidades que desearía ver triunfar en el presente; el resultado eran narraciones lineales, jalonadas por héroes y mitos en cuya contemplación se reconocía el orgullo compartido de los buenos patriotas. Y los mapas reconfortaban esa visión tergiversada, coloreando sobre el papel la silueta eterna de la nación, presente desde el origen de los tiempos con sus fronteras sagradas (o quizá sólo soñadas).

La visión nacionalista del mundo llevó en el siglo XX a dos guerras mundiales y a despropósitos como el imperialismo, los campos de concentración nazis o las limpiezas étnicas de los Balcanes. Correlativamente a su descrédito ideológico, los prejuicios nacionalistas han sido rechazados por los historiadores del mundo académico; pero ello no ha impedido que este tipo de reconstrucciones interesadas proliferaran, pues nunca les faltaron patrocinadores ni consumidores.

Sin embargo, el género de los atlas históricos también puede ser utilizado en sentido contrario, como instrumento para la transmisión de una historia no esencialista, que ayude a fundar una sana memoria cívica desde el conocimiento objetivo y sincero de los orígenes históricos de las realidades del presente. De hecho, el olvido de los orígenes es el primer requisito de la intolerancia; y la memoria histórica, pues, el antídoto contra los errores del pasado.

Entre esas realidades del presente que los historiadores han de explicar, se encuentra España como uno de los Estados más antiguos de Europa, y uno de los más estables en sus fronteras. Un Estado antes que una nación, pues como dijera Pilsudski (el padre de la independencia de Polonia) «es el Estado el que hace a la nación, no la nación al Estado».

Nuestro propósito, pues, está muy alejado de aquellas historias nacionalistas dedicadas a exaltar el orgullo patrio y a legitimar identidades diferenciales: no tratamos de desempolvar las polémicas, ya lejanas, sobre el *ser* y el *quién* de los españoles, ni terciar en las actuales sobre si España es un fracaso histórico, una nación de naciones o si, simplemente, no existe.

La obra que el lector tiene en sus manos toma como objeto de estudio a España en tanto que Estado. Un Estado que no terminó de configurarse como tal hasta que apareció el propio concepto moderno de *Estado*, entendido como el ente abstracto en cuyo nombre se ejerce un poder soberano; y esto no ocurrió hasta el tránsito entre los siglos XVIII y XIX, cuando las revoluciones crearon en Europa un mapa de Estados nacionales definidos jurídicamente por constituciones liberales. Los primeros capítulos del *Atlas*, por lo tanto, se ofrecen sólo a título de precedentes, para recorrer los hechos que conformaron la España contemporánea, y no para sugerir que España haya existido desde el origen de los tiempos, ligada a un territorio y a unas fronteras «inmutables». Durante un largo período lo que existió fue la Península Ibérica, territorio de paisajes y poblaciones diversas al que sólo la condición física de península dotaba de la entidad necesaria para recibir un nombre, un topónimo. *España* fue sólo una expresión geográfica, que empezó a adquirir más significados a medida que los sucesivos invasores y colonizadores —romanos, germanos, árabes— la gobernaron como un todo: *Hispania*, provincia romana, convertida en reino independiente por los visigodos; *Al-Andalus*, emirato musulmán erigido más tarde en califato independiente; y nuevamente *Hispania* (o España), cuando los monarcas cristianos recurrieron al recuerdo del reino visigodo de Toledo para legitimar su «reconquista» frente al Islam. Los capítulos 1 y 2 del *Atlas* dan cuenta de estos procesos.

El mundo medieval y moderno, cuyas identidades esenciales no pueden ser plasmadas en mapas porque apenas guardaban relación con el territorio, nos resulta casi inconcebible en la acualidad. El poder residía en múltiples instancias subsidiarias y complementarias entre sí, el territorio no era significativo como principio de organización política y la identidad de los individuos corría por otros derroteros: el linaje, la familia o la casa; la Cristiandad o el ser miembro de una Iglesia; ser súbdito, vasallo, criado o sirviente de un señor; ser miembro de una corporación; natural de un lugar... Hasta el siglo XVIII no empezó a entenderse la identidad como algo vinculado al territorio; ni mucho menos se concebía la obligación de ser leales a otras cosas que no fueran el honor familiar, la religión o el señor *natural*, y fundamentalmente el rey.

La Europa de la Alta Edad Moderna (siglos XVI y XVII) estuvo marcada por la existencia y poderío de varias monarquías compuestas: la inglesa, la francesa, la austriaca... y la española. La *Monarquía Hispana*, fruto de un conjunto de enlaces matrimoniales y de circunstancias accidentales, remitía muy lejanamente al recuerdo de la Hispania romana y visigoda; remitía más al fruto de la «reconquista», culminada por los Reyes Católicos, y a la herencia de Carlos V, que por un momento soñó con una idea imperial de *Monarquía Católica*, en la que los reinos peninsulares habrían sido otras tantas piezas de una Cristiandad felizmente reunida bajo la dinastía de Habsburgo. El capítulo 3 del *Atlas* se ocupa de este periodo crucial, en el que la unión dinástica, la unidad católica y las empresas exteriores (en América, en Europa y en el norte de África) fueron conformando la idea de una España que era algo más que una reunión circunstancial de territorios hereditarios.

La construcción del Estado fue un proceso histórico largo y complejo de concentración de recursos en manos de un poder central, que gradualmente se fue afirmando como única instancia legítima de poder, llamada a defender y organizar la sociedad a la cual encarnaba (la nación). Para cumplir adecuadamente esa función, el Estado debía ser intransigente en materia de soberanía y estricto en la delimitación de lo interior y lo exterior, con lo que adquiría protagonismo político el territorio, como espacio ordenado jurídicamente, delimitado por fronteras y administrado por funcionarios. Ese es el proceso que hemos querido mostrar en los siguientes capítulos del *Atlas*: el 4 (dedicado a la transformación de la vieja Monarquía en un Reino, en un siglo XVIII marcado por la tensión entre los criterios patrimonialistas tradicionales y los nuevos criterios racionales de administración); y el 5 (que refleja la transformación del Reino del Antiguo Régimen en un verdadero Estado definido por criterios modernos de raíz liberal, aunque superpuesto a realidades culturales muy arraigadas, como la preeminencia política y social de las relaciones personales de parentesco, amistad, patronazgo y clientela). El capítulo 6, que corresponde cronológicamente al siglo XX, presenta la modernización del Estado español en una época de pugna entre el modelo democrático de convivencia y las resistencias autoritarias.

Como historia de un Estado, la que aquí se cuenta es pródiga en fenómenos típicamente estatales, como el ejército y las guerras, la circunscripciones jurisdiccionales y la administración de justicia, la adquisición y pérdida de colonias, las elecciones... Otros aspectos de la historia de España, como los que tienen que ver con las mentalidades, la sociedad y la economía, sólo se han representado cuando aparecen íntimamente ligados a las crisis del Estado (como en las luchas obreras y los movimientos nacionalistas de comienzos del siglo XX) o a un impulso estatal (como la industrialización y las migraciones de los años sesenta). Somos conscientes de que otros fenómenos igualmente importantes se prestaban menos a una representación cartográfica; y, en todo caso, había que seleccionar para ofrecer un atlas *breve*.

El titán Atlas de la mitología griega residía en el extremo occidental del mundo mediterráneo: quizá en los montes del Atlas, el continente sumergido de la Atlántida, el jardín de las Hespérides, al borde del río Océano (el Atlántico) o, tal vez, en esta Península Ibérica sobre la que hemos fijado nuestra atención en el presente *Atlas*. Zeus le condenó a mantener eternamente separado el cielo de la Tierra con su fuerza. La elaboración del *Breve atlas de historia de España* no ha sido un trabajo de titanes como aquél, pero sí ha requerido un esfuerzo notable para mantener separadas la plasmación territorial de nuestra historia y las reconstrucciones ideológicas inoculadas desde la escuela. En todo momento hemos procurado que la representación cartográfica no traicionara el estado actual de los conocimientos entre los historiadores profesionales, reflejando los conceptos historiográficos con todo su rigor.

Como Atlas tenía a su hermano Prometeo, el bienhechor de la Humanidad, nosotros hemos tenido múltiples ayudas que queremos agradecer: la de nuestras familias respectivas, víctimas inocentes de este empeño por explicar la historia de España en mapas; la de nuestros compañeros —profesores y alumnos— de la Universidad Autónoma de Madrid, en cuyas tareas docentes se gestaron las preguntas a las que este *Atlas* intenta responder; y la de nuestros editores, Ricardo Artola y Belén López Celada; sin ellos y sin la paciencia y profesionalidad de Celia Marina Romano, que participó en el proyecto desde el primer día hasta el último, este libro no habría sido posible.

Cantoblanco, 1999

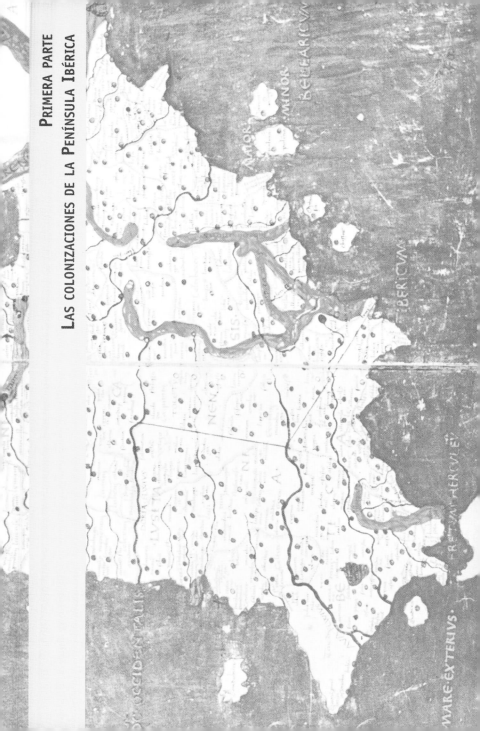

1.1 Colonizaciones griegas y fenicias

En el siglo XII a.C. los fenicios, un pueblo de comerciantes del cercano Oriente, después de establecerse en Sicilia y el norte de África, alcanzaron la Península Ibérica. Un grupo de ellos, procedente de Tiro, fundó una factoría en Gades (Cádiz), y a partir de entonces (1100 a.C.) fundaron colonias en la costa andaluza (Abdera, Sexi, Malaca). Los hallazgos arqueológicos dan muestra de que en el siglo VIII a.C. existía una intensa actividad comercial en estos enclaves, que adquirían materias primas, principalmente metales como el estaño, el oro y la plata, explotaban las pesquerías y fabricaban salazones, al tiempo que vendían productos de lujo a los nativos (cerámicas chipriotas, manufacturas egipcias y sirias, joyas rodias, marfiles y abalorios de vidrio fenicios). En contacto con la legendaria civilización tartésica, la fama del pingüe comercio ibérico atrajo pronto a los griegos, otro pueblo de comerciantes y navegan-

tes procedente del Mediterráneo oriental. No se sabe con certeza cuándo llegaron; la leyenda indica que los rodios tal vez fundaron Rhode (Rosas), navegaron por el mar balear y asignaron nombres a algunas islas y lugares (topónimos acabados en -*oussa*) en el siglo VIII a.C.

Mejor documentada, se da por segura la arribada de los samios y los focenses, directamente ligada al comercio tartésico. Kolaios de Samos entró en contacto con esta civilización (630 a.C.) y sus conciudadanos se extendieron rápidamente por la costa andaluza. Desde su principal centro de operaciones en el área, Massalia (Marsella), rivalizaron con los fenicios y dominaron el Levante. A esta tierra, situada en el confín del mundo, la llamaron *Iberia*, el lugar habitado por los iberos, el pueblo con el que entraron en contacto, sin tener en cuenta que, en el norte, tribus de estirpe céltica estaban poblando el territorio.

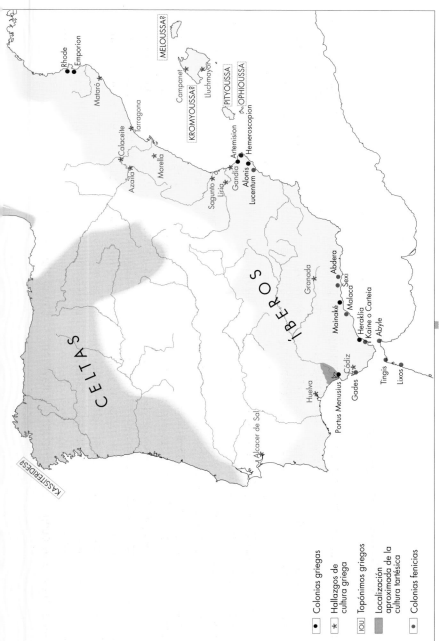

KASSITÉRIDES?

CELTAS

Í B E R O S

Rhode
Emporion
Mataró
Tarragona
Calaceite
Azaila
Morella
Sagunto
Liria
Gandía
Artemisión
Alonís
Lucentum
Hemeroscopión

Campanet
Lluchmayor

MELOUSSA?
KROMYOUSSA?
PITYOUSSA
OPHIOUSSA

Abdera
Granada
Sexi
Mainaké
Malaca
Heraklia
Kaine o Carteia
Abyle

Huelva
Portus Menusius
Alcácer de Sal
Cádiz
Gades
Tingis
Lixos

Colonias griegas

Hallazgos de
cultura griega

Topónimos griegos

Localización
aproximada de la
cultura tartésica

Colonias fenicias

IOU

19

1.2 El dominio de Cartago

A mediados del siglo VII a.C. surgió Cartago como potencia económica y militar. Cuando los asirios conquistaron y destruyeron las ciudades fenicias en Asia Menor, Cartago, la más importante de sus colonias, reemplazó a la abatida metrópoli y toda la red de asentamientos y factorías del Mediterráneo occidental quedó bajo su mando. El auge cartaginés fue debilitando la influencia helénica.

En torno a 535 a.C. los griegos abandonaron el área del estrecho y el mar balear que quedaron en manos de sus enemigos. En el siglo III a.C. la expansión cartaginesa topó con Roma. Obligada a abandonar Sicilia durante la *Primera Guerra Púnica*, Cartago se empleó a fondo en la consolidación de su dominio en Iberia. No parecía una empresa difícil: exceptuando un puñado de pequeños reinos turdetanos y bastetanos en Andalucía, o el vasto reino de los ilergetes, que dominaban desde Ilerda (Lérida) el norte del valle del Ebro,

se puede decir que los iberos no construyeron entidades políticas significativas. Esto era aún más obvio en el interior: de entre las tribus que poblaban las mesetas los historiadores antiguos apenas estiman a algunas de ellas, como los vacceos, por su sistema de explotación colectiva de la tierra, o el reino carpetano de los olcades. Amílcar Barca conquistó gran parte del valle del Guadalquivir, sometió a los bastetanos y rebasó el cabo de Palos (fijado como límite por un tratado con Roma). A su muerte, su yerno Asdrúbal continuó la expansión hasta el Ebro y fundó *Cartago Nova* (Cartagena). En 221 a.C., su sucesor, Aníbal, conquistó la meseta interior y, al tomar Sagunto, aliada de Roma (219 a.C.), dio lugar a la *Segunda Guerra Púnica*. En las batallas de Baecula e Illipa (209 a.C.) se desmoronó el dominio cartaginés. Asdrúbal abandonó la Península para socorrer a Aníbal en Italia, donde fue vencido y muerto (207 a.C.).

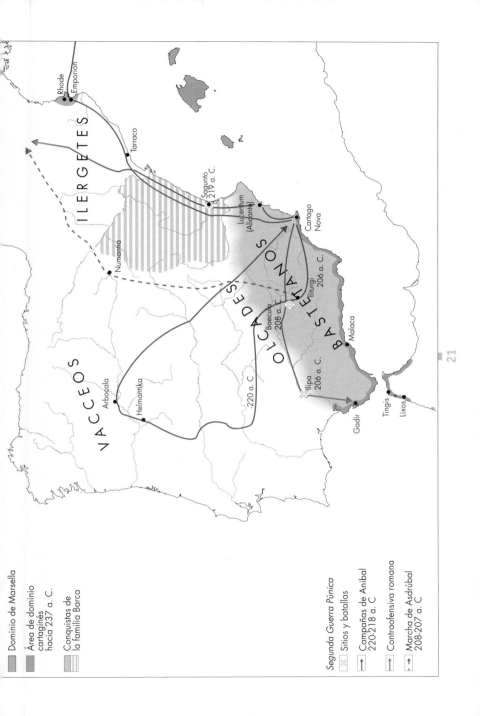

Dominio de Marsella

**Área de dominio
cartaginés
hacia 237 a. C.**

**Conquistas de
la familia Barca**

Segunda Guerra Púnica

Sitios y batallas

Campañas de Aníbal
220-218 a. C

Contraofensiva romana

Marcha de Asdrúbal
208-207 a. C

Rhode
Emporion
Tarraco
ILERGETES
Numantia
Sagunto
219 a. C.
Lucentum
(Alicante)
OLCADES
Cartago
Nova
Iliturgi
206 a. C.
BASTETANIA
Baecula
208 a. C.
-220 a. C
Malaca
VACCEOS
Arbocala
Helmantika
Illipa
206 a. C.
Gadir
Tingis
Lixos

21

1.3 La conquista romana

En el año 206 a.C., Cornelio Escipión concluyó su campaña victoriosa contra los cartagineses. Roma aplicó el derecho de conquista, expoliando a los nativos, lo que provocó una rebelión general, que fue aplastada por el cónsul Marco Porcio Catón (195 a.C.), el cual ordenó el territorio en dos circunscripciones: Ulterior y Citerior (aunque en el siglo II se volvieron a reunificar transitoriamente). Se mantuvo la primitiva organización política y las ciudades indígenas disfrutaron de la vigilancia y protección romana según su posición en la conquista: o bien se mantuvieron como *federadas*, o quedaron sojuzgadas (como *estipendiarias*) o disfrutaron de la condición de *libres no federadas*. Para mantener la seguridad del territorio fue preciso someter a los pueblos celtíberos del interior (179 a.C.), habiendo de afrontarse a la postre unas largas y penosas campañas que afectaron a toda la Península (la tenaz resistencia de los lusitanos y su cabecilla

Viriato en 154-138 a.C. o las dos *guerras celtibéricas* de 153-151 a.C.).

Después de que Junio Bruto conquistara la fachada atlántica (138-136 a.C.) y Escipión *el Menor* sometiera Numancia (133 a.C.), el siglo I se abrió con una colonización romana ya asentada, aunque el desarrollo posterior de la misma estuvo condicionado por la inestabilidad de la propia Roma. Hispania fue la caja de resonancia de los conflictos políticos de la metrópoli; las guerras de Sertorio (78-72 a.C.) o la contienda entre César y Pompeyo (45 a.C.), al interrelacionarse con la política local, fueron cerrando el proceso de romanización. No obstante, al norte del Duero y a lo largo de la cornisa cantábrica, permanecía un amplio espacio poblado por tribus sin someter. Con la *guerra cántabra* (26-19 a.C.), Augusto concluyó el proceso de conquista, integrando todo el espacio peninsular al dominio romano.

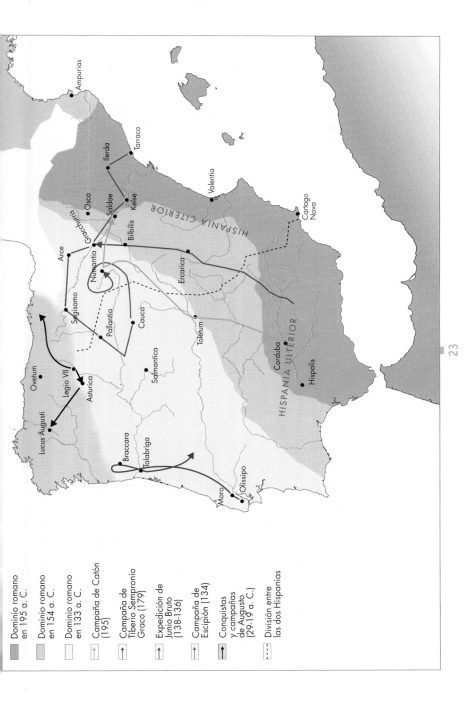

Dominio romano
en 195 a. C.

Dominio romano
en 154 a. C.

Dominio romano
en 133 a. C.

Campaña de Catón
(195)

Campaña de
Tiberio Sempronio
Graco (179)

Expedición de
Junio Bruto
(138-136)

Campaña de
Escipión (134)

Conquistas
y campañas
de Augusto
(29-19 a. C.)

División entre
las dos Hispanias

Ampurias

Tarraco

Ilerda

Osca
Saldae
Kelse

Valentia

Cartago
Nova

HISPANIA CITERIOR

Arce
Gracchuris
Bilbilis

Numantia

Ercarica

Segisamo

Pallantia

Cauca

Toletum

Corduba

Hispalis

HISPANIA ULTERIOR

Ovetum

Lucus Augusti

Legio VII
Asturica

Braccara

Talabriga
Salmantica

Moro
Olissipo

23

1.4 Hispania en tiempos de Augusto

La romanización, pacífica y tranquila durante el siglo I d.c., hizo posible la proliferación de colonias de ciudadanos romanos. Éstas, que ya habían comenzado a florecer durante los últimos años de la República, se incrementaron extraordinariamente bajo Augusto. Hispania se alejaba rápidamente de su primitiva organización política; por eso, Augusto dividió la Península en tres provincias (adviértase la etimología de la palabra, de *pro vincere*, la extensión de la autoridad de los magistrados romanos al territorio vencido): *Tarraconensis*, *Baetica* y *Lusitania*. La primera, con capital en Tarraco, comprendía la antigua *Hispania Citerior*, mientras que las otras nacieron de la división de la *Ulterior*, separadas por el río Anas y con capitales en Corduba (Córdoba) y Emerita Augusta (Mérida). Augusto impuso, además, una distribución del Imperio en la que las provincias más romanizadas permanecieron bajo la autoridad del Senado, gobernadas por un

procónsul, mientras que aquellas cuya situación era más inestable lo eran por un propretor dependiente de su autoridad personal.

Posteriormente, el emperador Claudio procedió a la remodelación de este esquema y subdividió la Península en 14 *conventus* jurídicos, distritos a medio camino entre la ciudad y la provincia y cuyas capitales se convirtieron en centros judiciales y administrativos. De este modo, Roma se hacía más presente en el territorio y su red institucional iba llegando a todos sus rincones. Vespasiano dio un paso más al conceder el derecho latino a Hispania; y en su reinado adoptaron la organización municipal romana cerca de un centenar de ciudades. Se puede decir que, al concluir el siglo II de nuestra era, las provincias ya no eran zonas sometidas y administradas para su explotación, sino que se estaban integrando orgánicamente en el Imperio como copartícipes del mismo.

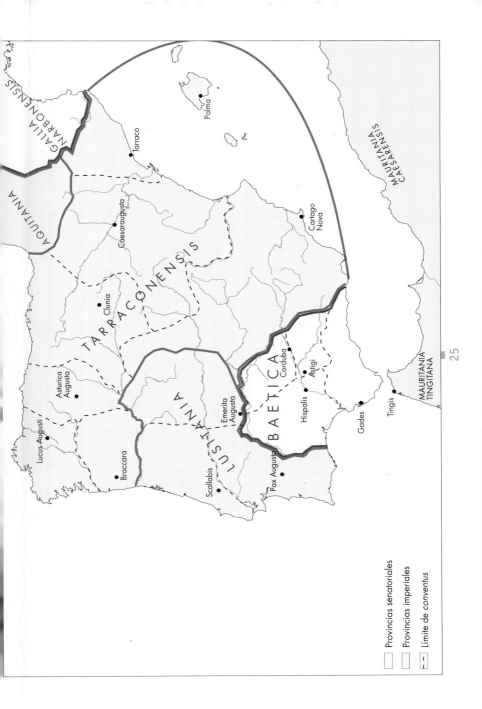

GALLIA
NARBONENSIS

AQUITANIA

TARRACONENSIS

BAETICA

LUSITANIA

MAURITANIA
CAESARENSIS

MAURITANIA
TINGITANA

Tarraco

Palma

Caesaraugusta

Cartago
Nova

Clunia

Asturica
Augusta

Lucus Augusti

Braccara

Scallabis

Emerita
Augusta

Corduba

Astigi

Hispalis

Gades

Tingis

Pax Augusta

25

Provincias senatoriales

Provincias imperiales

Límite de *conventus*

1.5 Hispania en el Bajo Imperio

En el año 212 d.C. el emperador Antonino Caracalla concedió la ciudadanía romana a todos sus súbditos. Fue entonces cuando Hispania quedó plenamente romanizada: ya no era una tierra sometida, sino una parte integrante del Imperio.

Dos años después el emperador creó una nueva provincia en el noroeste, *Hispania Nova Citerior Antoniniana*, que fue pronto suprimida. Fue el primer paso para una postrer remodelación que, bajo Diocleciano, tuvo su impulso más decidido con la creación de las provincias de *Gallaecia* y *Carthaginensis* (que incluyó las Baleares), agregando a Hispania la provincia africana de *Mauritania-Tingitana*. Mucho más adelante, entre el 369 y el 386, se creó la provincia de *Balearica*, última modificación del mapa administrativo vigente hasta las invasiones bárbaras. La reforma de Diocleciano

(245-313) no estuvo dirigida específicamente a la Península, sino a la completa reestructuración del Imperio en cuatro grandes prefecturas: Galia, Italia, Iliria y Oriente. Hispania pasó a ser una diócesis, gobernada por un *vicens agens* subordinado al prefecto de la Galia, un *vicarius hispaniarum* residente en Hispalis y un *comes* extraordinario. Así mismo, a partir del siglo II el cristianismo creció extraordinariamente en las ciudades de la Península Ibérica. En el año 302 se sucedieron las primeras persecuciones contra esta religión que, al negarse sus adeptos a rendir el homenaje de adoración al emperador (*proscynesis*) y debido al éxito de su proselitismo, se temía que pusiera en peligro la esencia misma del orden político romano, dado que la autoridad imperial estaba establecida sobre la divinidad del emperador.

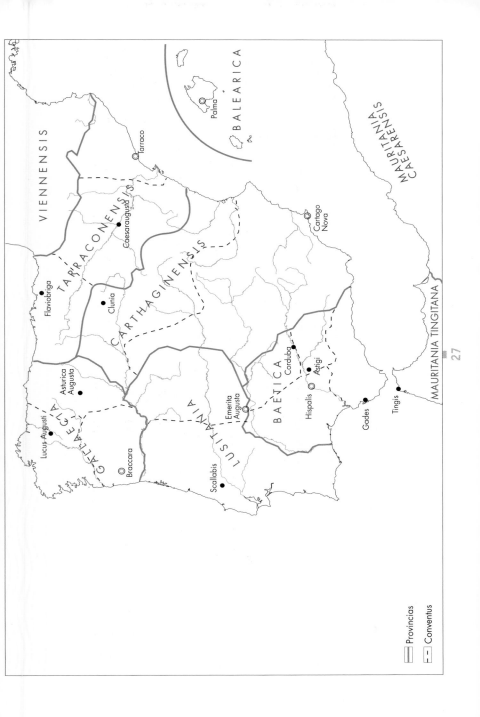

VIENNENSIS

BALEARICA

Palma

Tarraco

MAURITANIA
CAESARENSIS

TARRACONENSIS

Caesaraugusta

Cartago
Nova

Flaviobriga

Clunia

CARTHAGINENSIS

GALLAECIA

Asturica
Augusta

Corduba

Astigi

BAETICA

Lucus Augusti

LUSITANIA

Emerita
Augusta

Hispalis

Gades

Tingis

Braccara

Scallabis

MAURITANIA TINGITANA

27

Provincias

Conventus

1.6 Las invasiones germánicas

En la segunda mitad del siglo III d.C., el Imperio Romano hubo de arrostrar una crisis política y social de gran magnitud. Las causas fueron múltiples: la descomposición del sistema de gobierno, la debilidad de la institución imperial, la retracción del comercio y la ruptura del *limes* por hordas de bárbaros (cuyas destrucciones provocaron el desorden e inseguridad generales).

Las *razzias* y el declive comercial causaron el comienzo de la decadencia de las ciudades y la proliferación de las grandes villas agrícolas del siglo IV, en una economía cada vez más autárquica. Por otra parte, la división social fue acelerada por la ruptura de la conciencia unitaria de la romanidad: el cristianismo marcó un distanciamiento entre el mundo rural, pagano, y el urbano, cristianizado. La crisis social adquirió tonos dramáticos con las revueltas agrarias de los bagaudas en las Galias y en el valle del Ebro, carac-

terizadas por la destrucción de villas, ciudades y centros religiosos por bandas de campesinos armados. En este ambiente, en el año 409 los suevos cruzaron el Pirineo y, tras ellos, los vándalos, y alanos, que, siguiendo las calzadas romanas, dominaron rápidamente la Península. En el año 375 los visigodos cruzaron el Danubio y entraron en el Imperio como confederados y tropas auxiliares. En calidad de tales, recorrieron la Tarraconense y el Levante para poner orden y restablecer la autoridad. Tras esta labor de «policía», en 418 regresaron a las Galias, al Reino de Tolosa. Requeridos nuevamente durante la segunda mitad del siglo V para contener a vascos y cántabros, reducir a los suevos (establecidos en Gallaecia y Lusitania) y someter a los bagaudas, los visigodos fueron estableciéndose en la meseta, acelerándose su presencia en Hispania por la presión del avance franco en la Galia.

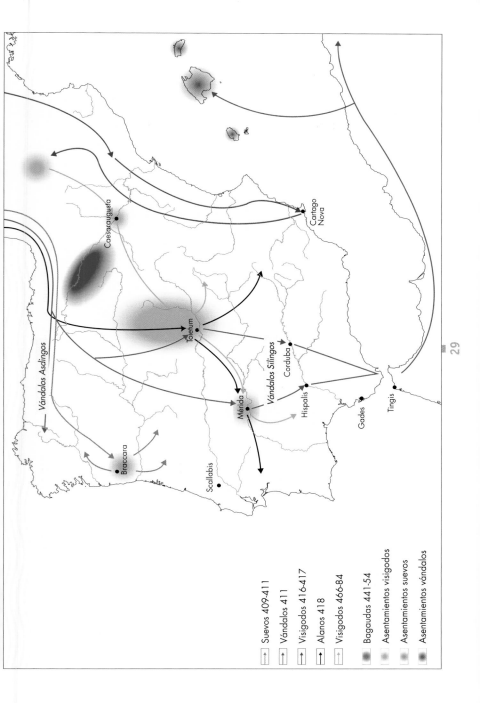

Vándalos Asdingos

Caesaraugusta

Braccara

Scallabis

Toletum

Mérida

Vándalos Silingos

Corduba

Hispalis

Gades

Tingis

Cartago Nova

↑ Suevos 409-411

↑ Vándalos 411

↑ Visigodos 416-417

↑ Alanos 418

↑ Visigodos 466-84

● Bagaudas 441-54

● Asentamientos visigodos

● Asentamientos suevos

● Asentamientos vándalos

1.7 Hispania visigótica

En 476 los visigodos asentaron su dominio como federados del Imperio, impusieron el orden en el territorio y acabaron reemplazando su autoridad. Dueños de la Septimania y habiendo establecido su capital en Narbona, la presión de los suevos desde Gallaecia, de los cántabros y vascones desde el Cantábrico y de los bizantinos en la Baetica forzó la traslación del centro político del reino a Toledo, para atender con prontitud la defensa de todos los frentes. Así mismo, con la fijación de la capital, se procedió a una política unitaria de restauración de Hispania; para ello era importante la integridad del territorio y la armonización de las relaciones entre la elite guerrera visigoda y los hispanorromanos. Leovigildo puso las bases de este proceso por medio de la acción militar (sometió a los suevos e hizo retroceder a los bizantinos en Andalucía) y la publicación de leyes unitarias; pero éste no se cerró hasta la conversión de Recaredo al catolicismo (III Concilio Toledano, 587), que permitió a un sector de la elite hispanorromana participar del poder.

Aunque Suintila expulsó definitivamente a los bizantinos (621-631), el afán restaurador tuvo el significado de una legitimación de la conquista. La organización política de la horda guerrera, con jefatura electiva, no se pudo adaptar a una situación sedentaria. Las luchas y rivalidades entre los nuevos señores, las disputas entre linajes y la «privatización» del territorio en manos de los nobles (apareciendo instituciones como el beneficio y el vasallaje) indican que, en esencia, los visigodos se romanizaron superficialmente y mantuvieron su derecho y costumbres. Los centros urbanos entraron en decadencia, a la vez que la administración romana se fue disolviendo en aras de la fragmentación feudal impuesta por la elite guerrera.

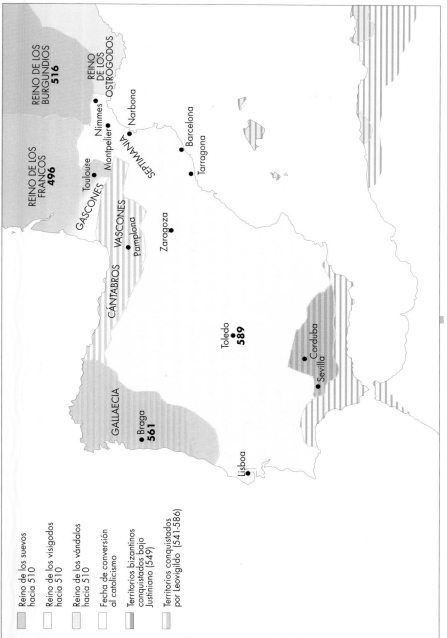

REINO DE LOS BURGUNDIOS **516**

REINO DE LOS OSTROGODOS

REINO DE LOS FRANCOS **496**

• Nimmes
• Montpelier
• Narbona

SEPTIMANIA

• Barcelona

• Tarragona

GASCONES

• Toulouse

VASCONES

• Pamplona

CÁNTABROS

• Zaragoza

GALLAECIA

• Braga
561

• Lisboa

Toledo
•
589

• Corduba
• Sevilla

Reino de los suevos hacia 510

Reino de los visigodos hacia 510

Reino de los vándalos hacia 510

Fecha de conversión al catolicismo

Territorios bizantinos conquistados bajo Justiniano (549)

Territorios conquistados por Leovigildo (541-586)

1.8 La invasión musulmana

En el extremo oriental del Mediterráneo, en la Península Arábiga, más allá del antiguo *limes* romano, un nuevo orden político y religioso iba a transformar radicalmente el mundo conocido: el Islam. Tras la muerte de su fundador, Mahoma (632), se expandió con celeridad por Oriente y África, creando por la fuerza de las armas y el impulso de la *Yihad* (guerra santa) un inmenso imperio, regido a partir de 650 desde Damasco por un califa, jefe espiritual y temporal de los musulmanes. En abril o mayo de 711 cruzaron el estrecho de Gibraltar, en julio vencieron al rey Rodrigo en Guadalete y, en cinco años, sus jefes militares Tariq y Musa, siguiendo las calzadas romanas, se hicieron dueños de la Península. Abd al Aziz, hijo de Musa, redujo los núcleos de resistencia en el sur, y se enfrentó a Todmir, señor visigodo del sudeste, el cual pactó un acuerdo con los musulmanes por el que se reservaba su señorío a cambio de someterse y pagar un tributo.

Este pacto de paz (*ahd*) se reprodujo después en otros muchos lugares.

Mientras tanto, como consecuencia del sorprendente éxito militar, la expansión se prolongó hacia la Galia: Al-Hurr recorrió la región provenzal, Al-Samh tomó Toulouse, Ambaca tomó Carcasona y se internó en la región del Ródano y, por último, Abd al Rahman el Gafequi cruzó los Pirineos y avanzó por Aquitania, siendo derrotado y muerto en Poitiers (732). Allí quedó fijado el límite del avance musulmán en Occidente, aunque el área realmente conquistada se mantuvo más al sur, quedando la cornisa cantábrica y la franja pirenaica fuera de su dominio directo. En el año 750 se produjo el fin del califato Omeya de Damasco y se creó el califato Abasí de Bagdad. El Omeya 'Abd al-Rahman I se declaró emir independiente de Al-Andalus (Hispania), rompiendo los lazos políticos (pero no los religiosos) con el califato.

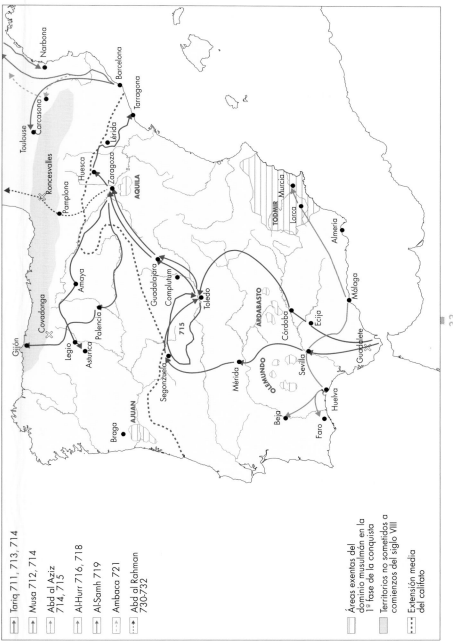

Tariq 711, 713, 714

Musa 712, 714

Abd al Aziz 714, 715

Al-Hurr 716, 718

Al-Samh 719

Ambaca 721

Abd al Rahman 730-732

Áreas exentas del dominio musulmán en la 1ª fase de la conquista

Territorios no sometidos a comienzos del siglo VIII

Extensión media del califato

Toulouse
Narbona
Carcasona
Barcelona
Tarragona
Roncesvalles
Lérida
Huesca
Pamplona
Zaragoza
AQUILA
Gijón
Covadonga
Amaya
Palencia
Legio
Asturica
Braga
AJUAN
Segonzuela
Guadalajara
Complutum
Toledo
715
Mérida
Beja
Faro
Huelva
Sevilla
ARDABASTO
OLEMUNDO
Córdoba
Ecija
Guadalete
Málaga
Almería
TODMIR
Murcia
Lorca

33

2.1 La Península en el siglo IX

Según la tradición, la nobleza goda se refugió en las montañas y, desde allí, inició la *Reconquista*. La historiografía más reciente indica que astures, cántabros y vascones, que resistieron con éxito a romanos y visigodos, también lo hicieron con respecto a los nuevos invasores. Fue el clero el que orientó su identidad y dio un carácter de *cruzada* a la guerra contra el Islam. En el siglo VIII, cántabros y vascos iniciaron el avance sobre Castilla, los astures consolidaron su dominio sobre el área comprendida entre Lugo y el valle de Mena, mientras que señores vascos asociados a los Beni Qasi formaron el reino de Pamplona. Por otra parte, los francos cruzaron los Pirineos y afirmaron su dominio en la *Marca Hispánica* (785-801). Fruto de los avances y repliegues musulmanes y francos en el siglo IX surgieron los condados de Aragón y Sobrarbe que, junto con Pamplona, no tardaron en independizarse. A fines del siglo IX el soberano astur Alfonso III amplió su reino y asumió como propia la herencia del reino visigodo, base para crear el reino de León en 914. Los cristianos vivían en áreas agrestes y montañosas, separados de los musulmanes por la *frontera*, que no era una línea definida, sino un amplio espacio vacío. Era un lugar sin ley, de entradas y cabalgadas, que forjó una sociedad peculiar. Los emires la dividieron en tres áreas, que eran vigiladas y patrulladas para defender Al-Andalus. Córdoba constituyó la capital y el territorio se dividió en *coras* o provincias. La organización territorial no pudo evitar la profunda inestabilidad del régimen por causas étnicas y religiosas. Los linajes muladíes de Ibn Meruán o Beni Qasi construyeron auténticos estados que crecieron a expensas del emirato; y no tardaron en surgir señores de la guerra, como el muladí 'Umar ben Hafsun en el área malagueña o el mozárabe Servando en la campiña cordobesa, que desarticularon Al-Andalus.

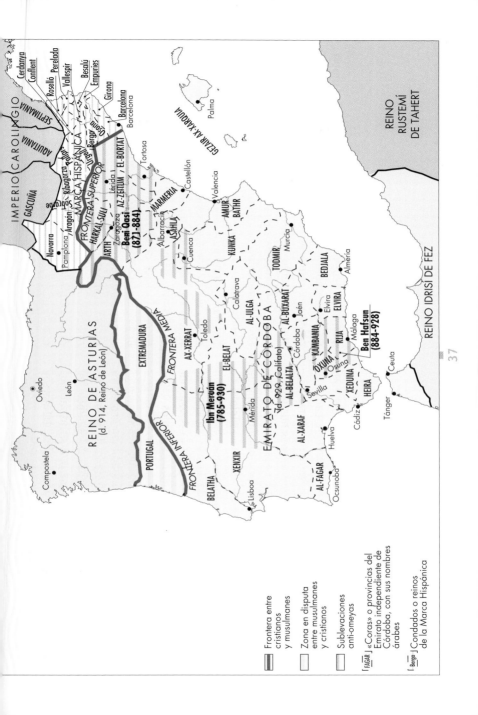

IMPERIO CAROLINGIO

GASCUÑA

AQUITANIA

SEPTIMANIA

Cerdanya
Conflent
Rosselló
Pereleda
Vallespir
Besalú
Empúries
Girona
Barcelona

MARCA HISPÁNICA

Navarra
Pamplona
Aragón
Sobrarbe
Ribagorza
Urgell
Berga
Osona
Barcelona

FRONTERA SUPERIOR

HARKAL-SULÍ
Lérida
Zaragoza
Beni Qasi
(871-884)
AZ-ZEITUM / EL-BORTAT

ARTH

MARMERIA

AL-AHLA
Albarracín
Cuenca
Castellón
Valencia

GÈZAIR AX-XARQUIA

Palma

REINO DE ASTURIAS
(d. 914, Reino de León)

Compostela
Oviedo
León

EXTREMADURA

FRONTERA MEDIA

FRONTERA INFERIOR

PORTUGAL

AX-XERRAT
Toledo

EL-BELAT

AL-ULGA
Calatrava

KUNKA

AMUR

BATHR

TODMIR
Murcia

BEDJALA
Almería

BELATHA
Lisboa

XENXIR

AL-FAGAR
Ocsunoba

AL-XARAF
Huelva

Ibn Meruán
(785-930)
Mérida

EMIRATO DE CÓRDOBA
(d. 929, Califato)

AL-BELATA
Sevilla

OXUNA
Osuna

KAMBANIA
Córdoba

AL-BUXARAT
Jaén

Elvira

ELVIRA
Málaga

RIJA

KEDUNA

HEIRA
Cádiz

Ben Hafsun
(884-928)

Tánger
Ceuta

REINO IDRISÍ DE FEZ

REINO RUSTEMÍ DE TAHERT

37

Frontera entre
cristianos
y musulmanes

Zona en disputa
entre musulmanes
y cristianos

Sublevaciones
anti-omeyas

⌈FAGAR⌉ «Coras» o provincias del
Emirato independiente de
Córdoba, con sus nombres
árabes

⌈Berga⌉ Condados o reinos
de la Marca Hispánica

2.2 La Península en el año 1000

La legitimidad de los soberanos astures como herederos del reino visigodo recibió un notable impulso al erigir León como segunda Toledo. No obstante, el goticismo, ligado al fortalecimiento de la realeza, fracasó porque los repobladores de Castilla, cántabros y vascos, recelaban de una restauración romano-visigoda que les era ajena, por lo que en 951, a la muerte de Ramiro II, al conde Fernán González no le costó un gran esfuerzo independizarse de León. Mientras, el Reino de Pamplona se engrandecía con la incorporación de La Rioja y de Aragón. En el año 988, la negativa de Borrell II de Barcelona a prestar vasallaje a Hugo Capeto marcó la separación de los condados catalanes del reino franco y su orientación hispánica (la ruptura fue definitiva en el Tratado de Corbeil de 1258). En el área musulmana, la crisis del emirato fue resuelta por 'Abd al Rahman III, que redujo los últimos brotes de rebeldía, sometió a los linajes rebeldes y rompió la dependencia religiosa de Al-Andalus proclamándose califa en 929. Así mismo, creó dispositivos defensivos eficaces, con guarniciones en el interior que, por medio de una adecuada red viaria, podían acudir con presteza a cualquier área fronteriza en peligro. La creación del califato contribuyó al fortalecimiento del poder político y abrió una era de esplendor cultural y económico. Ello significó que, una vez pacificado el interior, fue posible poner coto a las razzias de los cristianos, organizando expediciones militares de castigo. Bajo Hisam II, la habilidad militar del hachib (primer ministro) Al Mansur (Almanzor) y sus fulgurantes campañas (aceifas) entre 985 y 997, afirmaron la superioridad musulmana en la Península. El hachib acabó por alzarse con el poder, y tras su fallecimiento en 1002 el califato quedó tocado de muerte; desprestigiado y carente de autoridad, un consejo de estado acabó aboliéndolo en 1031.

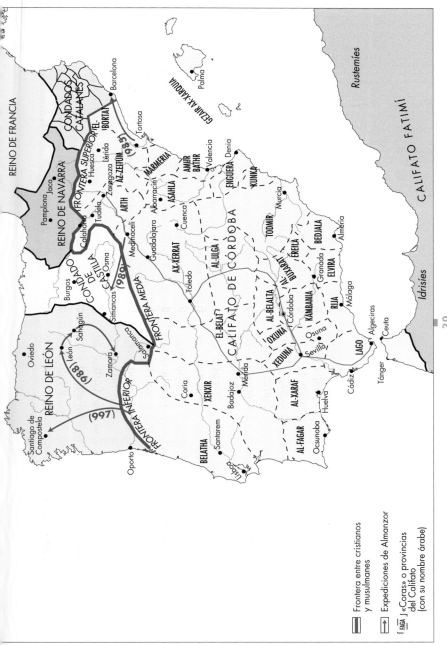

REINO DE FRANCIA

CONDADOS CATALANES

Barcelona

REINO DE NAVARRA

Pamplona · Jaca

FRONTERA SUPERIOR

IBORTAT

Tortosa

Huesca

Zaragoza · Lérida

Tudela

Calahorra

(985)

AZ-ZEITUM

MARMERIA

Valencia

AMÜR BATHR

Denia

Albarracín

ARTH

ENGUERA

Medinaceli

Guadalajara

ASAHLA

Cuenca

XUNKA

CONDADO DE CASTILLA

(989)

AX-XERRAT

Murcia

TODMIR

Burgos

Osma

AL-ULGA

Toledo

BUXARRAT

Almería

Simancas

FRONTERA MEDIA

BEDJALA

ERBILA

Granada

Sahagún

León

(886)

EL-BELAT

AL-BELALTA

Córdoba

KAMBANIA

ELVIRA

Málaga

RIJA

Oviedo

Zamora

CALIFATO DE CÓRDOBA

OXUNA

Osuna

REINO DE LEÓN

FRONTERA INFERIOR

(997)

Coria

XENXIR

Mérida

Badajoz

AL-XARAF

KEDUNA

Sevilla

LAGO

Algeciras

Ceuta

Santiago de Compostela

Oporto

BELATHA

Santarem

AL-FAGAR

Ocsunoba

Huelva

Cádiz

Tánger

Lisboa

GEZAIR AX-XARQUIA

Palma

Rustemíes

CALIFATO FATIMÍ

Idrisíes

39

Frontera entre cristianos y musulmanes

Expediciones de Almanzor

FAGA̅J «Coras» o provincias del Califato (con su nombre árabe)

2.3 Crisis del Califato de Córdoba (hacia 1031)

Almanzor creó un ejército de mercenarios bereberes, andalusíes y eslavos (*saqaliba*), que su hijo, Abd al Rahman Sanchuelo, fue incapaz de domeñar. Las tensiones entre los tres grupos étnicos sumieron a Al-Andalus en la anarquía, y dieron lugar a que algunos jefes militares constituyeran los primeros reinos de *taifas* (del árabe *tawa'if*, partidos o facciones) en torno a 1010. Desaparecido el califato, los señores de las provincias —eslavos, andalusíes y bereberes— ocuparon el vacío de poder. La falta de legitimidad propició que se entablaran numerosas guerras entre ellos, facilitando la supremacía cristiana, que forzó a muchos a pagar fuertes tributos (*parias*) para evitar incursiones y saqueos, y también porque se constituyeron en árbitros de sus litigios y diferencias. Pero en el campo cristiano las cosas no eran muy diferentes y también primaba la fuerza: Sancho III *el Mayor* de Navarra (1005-1035) extendió las fronteras de su reino, anexionó el Condado de Ribagorza, obtuvo el vasallaje de los condes de Barcelona y Gascuña, se apoderó de Castilla a la muerte del infante García y aisló al soberano leonés, Bermudo III, en Galicia. Mientras tanto, el repliegue musulmán era ya notable en el valle del Duero. Santiago de Compostela se constituyó como uno de los principales centros de peregrinación europeos y, a través de la ruta que llevaba hasta allí desde Francia —el *Camino de Santiago*—, se introdujeron las formas políticas (feudalismo), culturales (románico) y religiosas (cluniacenses) del norte en la Península. A lo largo del camino se fundaron nuevas ciudades o *burgos* (Logroño, Burgos, Carrión, Castrogeriz...) dedicadas al comercio y las manufacturas, refugio de peregrinos; fueron pobladas por francos, constituyendo la ruta del peregrinaje una notable vía de inmigración que se asentó en la cornisa cantábrica.

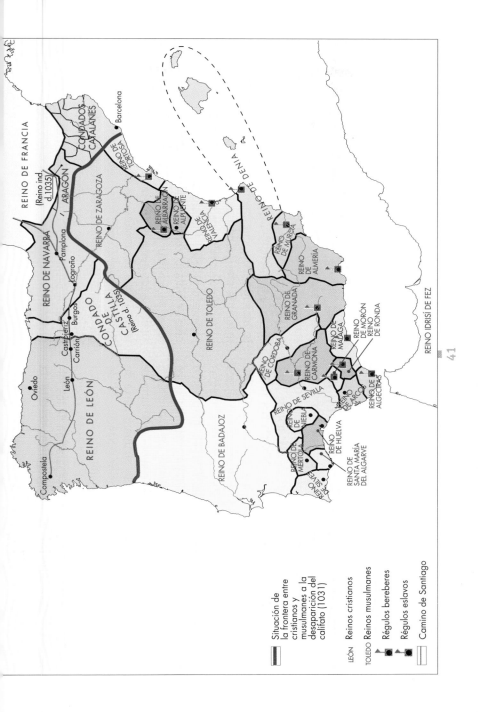

REINO DE FRANCIA

CONDADOS CATALANES

Barcelona

REINO DE TORTOSA

Reino ind. d.1035

ARAGÓN

REINO DE NAVARRA

Pamplona

Logroño

REINO DE ZARAGOZA

REINO DE ALBARRACÍN

REINO DE ALPUENTE

REINO DE VALENCIA

REINO DE DENIA

Burgos

Castrojeriz

Carrión

CONDADO DE CASTILLA
[Reino d. 1035]

REINO DE TOLEDO

REINO DE MURCIA

REINO DE ALMERÍA

ALMERÍA

Oviedo

León

REINO DE GRANADA

REINO DE MORÓN

REINO DE RONDA

REINO DE LEÓN

REINO DE CÓRDOBA

REINO DE MÁLAGA

REINO DE BADAJOZ

REINO DE CARMONA

REINO DE SEVILLA

REINO DE ALGECIRAS

REINO DE ARCOS

Compostela

REINO DE NIEBLA

REINO DE HUELVA

REINO DE MÉRTOLA

REINO DE SILVES

REINO DE SANTA MARÍA DEL ALGARVE

REINO IDRISÍ DE FEZ

Situación de la frontera entre cristianos y musulmanes a la desaparición del califato (1031)

LEÓN Reinos cristianos

TOLEDO Reinos musulmanes

Régulos bereberes

Régulos eslavos

Camino de Santiago

2.4 Avances cristianos en el siglo XI

En la sociedad de frontera surgieron señores de la guerra que, con resolución y un puñado de guerreros, podían llegar a construir un principado propio, como fue el caso de Ruy Díaz de Vívar, *el Cid*, que se hizo dueño de Valencia, memorable no sólo por sus hazañas sino por el relato de éstas en el *Cantar de Mío Cid*. El señorío del Cid fue efímero, muestra de una época en la que el poder cambiaba de manos muy rápidamente. Los reinos eran entidades frágiles, patrimonio de los soberanos a cuya muerte las particiones entre los herederos eran motivo de guerra y de división. La potencia adquirida por Sancho *el Mayor* de Navarra se disgregó tras su fallecimiento; y se recuperó parte de la misma en 1076, cuando, al morir Sancho IV de Navarra, volvió a juntarse este reino con Aragón. Así mismo, cuando falleció Fernando I de León y Castilla (1065) su herencia dio lugar a la separación de los reinos. En 1072 Alfonso VI los reunificó, reeditó la

noción imperial-visigótica leonesa y amplió sus dominios a expensas de sus vecinos. El rey de Sevilla, Mutamid, también desarrollaba una política expansiva: en 1078 se apoderó de Córdoba, de parte del Reino de Toledo y emprendió la conquista de Murcia. Sus éxitos le hicieron creer que podía liberarse de las *parias* y reducir la presión cristiana. Pero se equivocó: Alfonso VI atravesó su reino de un extremo a otro y le arrebató Toledo (1085). Asustados por el imperialismo leonés, redoblado con la toma de la capital goda, los reyes de Sevilla, Badajoz y Granada llamaron en su auxilio a los almorávides, un pueblo bereber, los cuales, más que socorrerlos, los expulsaron de sus tronos. Mutamid se volvió entonces hacia Alfonso VI y le ofreció la mano de su hija Zaida, acompañada de una jugosa dote, para sellar una alianza contra los norteafricanos. A pesar de ello, no se pudo frenar a los almorávides.

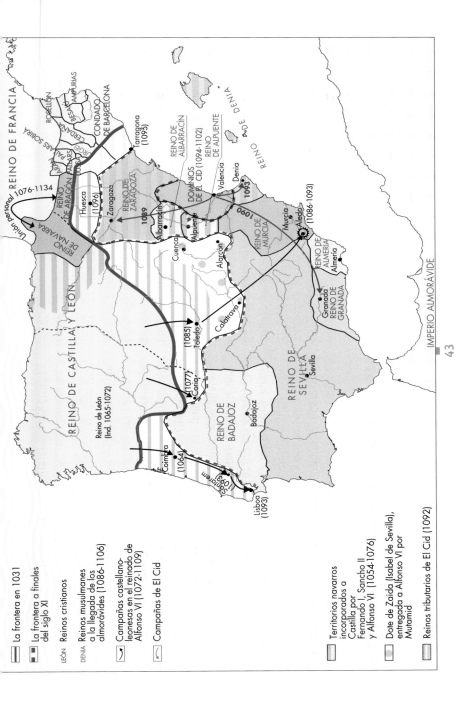

La frontera en 1031

La frontera a finales del siglo XI

LEÓN Reinos cristianos

DENIA Reinos musulmanes a la llegada de los almorávides (1086-1106)

Campañas castellano-leonesas en el reinado de Alfonso VI (1072-1109)

Campañas de El Cid

Territorios navarros incorporados a Castilla por Fernando I, Sancho II y Alfonso VI (1054-1076)

Dote de Zaida (Isabel de Sevilla), entregada a Alfonso VI por Mutamid

Reinos tributarios de El Cid (1092)

REINO DE FRANCIA

Unión personal 1076-1134

ROSELLÓN
BESALÚ AMPURIAS
CERDAÑA
PALLARS SOBIRÀ
PALLARS JUSSÀ
URGELL
CONDADO DE BARCELONA

REINO DE NAVARRA

REINO DE ARAGÓN

Huesca (1096)

Tarragona (1095)

Zaragoza REINO DE ZARAGOZA

Albarracín REINO DE ALBARRACÍN

Alpuente REINO DE ALPUENTE

DOMINIOS DE EL CID (1094-1102)

Valencia

Denia

REINO DE DENIA

REINO DE CASTILLA Y LEÓN

Reino de León (Ind. 1065-1072)

Cuenca
Alarcón
Calatrava
Toledo (1085)
Coria (1077)
Coimbra (1064)
Santarem (1093)
Lisboa (1093)

1089
1090
1093
1090

REINO DE BADAJOZ
Badajoz

REINO DE MURCIA
Murcia
Aledo (1086-1093)

REINO DE ALMERÍA
Almería

REINO DE GRANADA
Granada

REINO DE SEVILLA
Sevilla

IMPERIO ALMORÁVIDE

43

2.5 Reunificación de Al-Andalus por los almorávides (1086-1144)

El soberano almorávide Yusuf ben Tashufin acudió en socorro de los soberanos andalusíes por entender que la supervivencia del Islam en Al-Andalus estaba amenazada. Disgustado por la división reinante y consciente de la enorme debilidad de aquellos reinos, no dudó en apoderarse de ellos. Una *fatwa* (decreto religioso) de los *alfaquíes* (teólogos-juristas islámicos) declarando indignos para gobernar a los soberanos andalusíes, por el relajamiento de sus costumbres, dio luz verde a los almorávides para reunificar Al-Andalus, lo cual consiguieron mantener durante medio siglo, entre 1086 y 1144. La primera consecuencia de la llegada de este pueblo fue el repliegue cristiano. Tras la derrota de Alfonso VI en Sagrajas (1086), los almorávides iniciaron una contraofensiva que culminó entre 1103 y 1115. En el área pirenaica, el Condado de Barcelona fue subsumiendo los conda-

dos catalanes hasta constituir el Principado de Cataluña; y tras el matrimonio de Ramón Berenguer III (1096-1131) con Dulce de Provenza, el influjo catalán se extendió al sur de Francia. Más adelante, el matrimonio del conde Ramón Berenguer IV con Petronila, hija de Ramiro II de Aragón, posibilitó la unión de Aragón y Cataluña en 1137, dominando un amplio territorio comprendido entre las cuencas del Ebro y el Garona. A pesar de la fuerza almorávide, hay que reseñar una incipiente recuperación cristiana en las áreas levantina y portuguesa. A partir de 1139 los almorávides comenzaron a replegarse a lo largo de toda la línea del Tajo. Fue en esta época cuando la noción de *cruzada* se transformó en la de *reconquista* y se empezó a combatir a los musulmanes no tanto como infieles sino como usurpadores del reino visigodo.

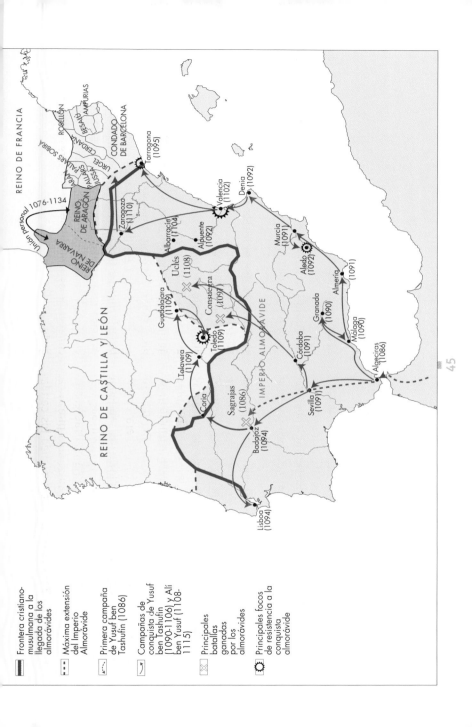

REINO DE FRANCIA

Unión personal 1076-1134

ROSELLÓN
BESALÚ
AMPURIAS
CERDAÑA
URGEL
PALLARS SOBIRÁ
PALLARS JUSSÁ

CONDADO DE BARCELONA

Tarragona (1095)

REINO DE ARAGÓN

REINO DE NAVARRA

Zaragoza (1110)

Valencia (1102)

Denia (1092)

Albarracín

Alpuente (1092)

Uclés (1108)

Guadalajara (1109)

Consuegra (1097)

Talavera (1109)

Toledo (1109)

REINO DE CASTILLA Y LEÓN

Coria

Sagrajas (1086)

Badajoz (1094)

Lisboa (1094)

Murcia (1091)

Aledo (1092)

Almería (1091)

Granada (1090)

Córdoba (1091)

Málaga (1090)

Algeciras (1086)

Sevilla (1091)

IMPERIO ALMORÁVIDE

45

Frontera cristiano-musulmana a la llegada de los almorávides

Máxima extensión del Imperio Almorávide

Primera campaña de Yusuf ben Tashufín (1086)

Campañas de conquista de Yusuf ben Tashufín (1090-1106) y Alí ben Yusuf (1168-1115)

Principales batallas ganadas por los almorávides

Principales focos de resistencia a la conquista almorávide

2.6 Las segundas taifas (1144-1157)

A la muerte del califa Alí (1143), el Imperio almorávide se descompuso. Surgieron simultáneamente tres focos de revuelta encabezados por líderes andalusíes: Abu-l-Qasim o *Abencasi* en el Algarve; en Córdoba el cadí Hamdim ben Muhammad (*Abenhamdín*) y en el área murciana Abd al-Rahman ben Chafar (*Abenallach*). No se trataba de una restauración de las taifas, sino de jefes guerreros que, aprovechando el vacío de poder, se apoderaron de extensas áreas de territorio. En el siglo XII asistimos también a la aparición de un nuevo reino, Portugal: el conde portugalense Alfonso Henríquez se desvinculó del Reino de Galicia tras la batalla de Guimaraes (1128), siendo reconocido rey por las Cortes de Lamego (1143). La debilidad musulmana impulsó un movimiento expansivo de los reinos cristianos: los castellanos y leoneses concluyeron la ocupación de la cuenca del Tajo y alcanzaron Almería, los portugueses fijaron su avance en el mismo río, y catalanes y aragoneses completaron la dominación del valle del Ebro en torno a 1150. La Corona de Aragón se consolidó en lo que el historiador Vicens Vives denominó *Imperio Pirenaico*, cuyas áreas de interés no eran sólo peninsulares, entrando en competencia con Francia por el dominio del Languedoc. Así mismo, el Reino de Navarra volvió sus miras hacia el norte, despegándose del entorno peninsular para integrarse en el espacio francés, proceso que llevaría a la entronización de la Casa de Champagne en el siglo XIII. En 1157, cuando los portugueses rebasaban el Tajo, Almería caía en manos de una nueva oleada de invasores musulmanes, los almohades.

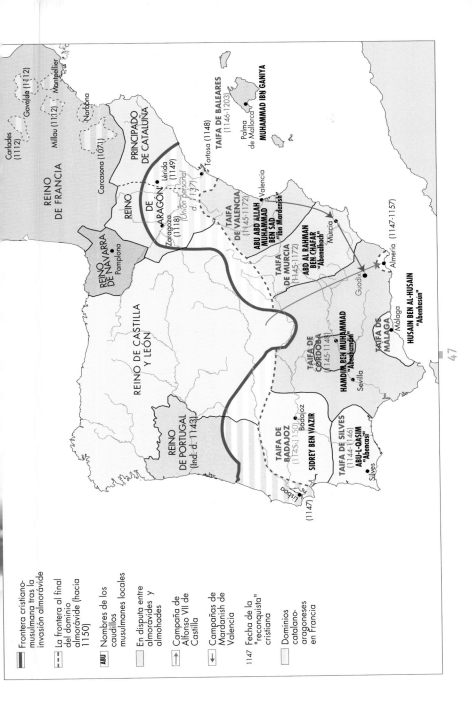

Leyenda:

- Frontera cristiano-musulmana tras la invasión almorávide
- La frontera al final del dominio almorávide (hacia 1150)
- ABU Nombres de los caudillos musulmanes locales
- En disputa entre almorávides y almohades
- Campaña de Alfonso VII de Castilla
- Campañas de Mardanish de Valencia
- 1147 Fecha de la "reconquista" cristiana
- Dominios catalano-aragoneses en Francia

Topónimos y nombres del mapa:

Carlades (1112)
Gavalda (1112)
Montpellier
Millau (1112)
Narbona
Carcasona (1071)

REINO DE FRANCIA

PRINCIPADO DE CATALUÑA

REINO DE NAVARRA — Pamplona

REINO DE ARAGÓN (1118)
Zaragoza
Lérida (1149)
[Unión personal d. 1137]

Tortosa (1148)

TAIFA DE BALEARES (1146-1203)
Palma de Mallorca (1)
MUHAMMAD BN GANIYA

TAIFA DE VALENCIA (1145-1172)
Valencia
ABU ABD ALLAH MUHAMMAD BEN SAD "ibn Mardanish"

TAIFA DE MURCIA (1145-1172)
Murcia
ABD AL RAHMAN BEN CHAFAR "Abenalhach"

Almería (1147-1157)
Guadix

REINO DE CASTILLA Y LEÓN

TAIFA DE MÁLAGA
Málaga
HUSAIN BEN AL-HUSAIN "Abenhasin"

TAIFA DE CÓRDOBA (145-1148)
Sevilla
HAMDIN BEN MUHAMMAD "Abenhamdin"

REINO DE PORTUGAL (Ind. d. 1143)

TAIFA DE BADAJOZ (1145-1150)
Badajoz
SIDREY BEN WAZIR

TAIFA DE SILVES (1144-1146)
Silves
ABU-L-QASIM "Abencasi"

Lisboa (1147)

47

2.7 El imperio almohade y los cinco reinos

La crisis política de Al-Andalus hizo creer a los cristianos que su expansión era imparable y que, tarde o temprano, unos y otros podían colisionar en sus campañas de conquista, de modo que los soberanos de Castilla y León y los de Aragón se repartieron las áreas a conquistar en los tratados de Tudellén (1151) y de Cazorla (1179).

Mientras, en el campo musulmán, los intentos por restaurar la unidad de los almorávides dieron lugar a una segunda oleada africana, los almohades, que lograron restablecer la unidad del califato. En 1177 los castellanos habían situado la frontera en la cuenca alta del Júcar y habían iniciado la expansión por las tierras altas del Guadiana y del Guadalquivir (1186-1189). En 1195 los almohades derrotaron a los castellanos en la batalla de Alarcos y fijaron la frontera a lo largo de la cuenca del Tajo. Desde ese momento, Al-Andalus se mantuvo unido

y logró mantener su estabilidad e integridad territorial hasta 1212, cuando, tras la batalla de las Navas de Tolosa, el poder almohade comenzó a debilitarse. Durante el paso de los siglos XII al XIII los reinos cristianos, tras la desintegración almorávide, hubieron de afrontar la rápida recuperación del mundo musulmán y la fuerza del Imperio almohade. Para ello se fundaron en León y Castilla las órdenes militares de Santiago, Calatrava y Alcántara, que desplazaron a las órdenes de San Juan y del Temple (esta última disuelta por el papa) y constituyeron el motor de la reconquista y la repoblación al sur del Tajo. Por otra parte, el enfrentamiento catalano-aragonés con Francia se selló a favor de ésta durante la cruzada contra la herejía de los *valdenses*. Pedro II *el Católico* salió en su defensa, siendo derrotado y muerto en la batalla de Muret (1213).

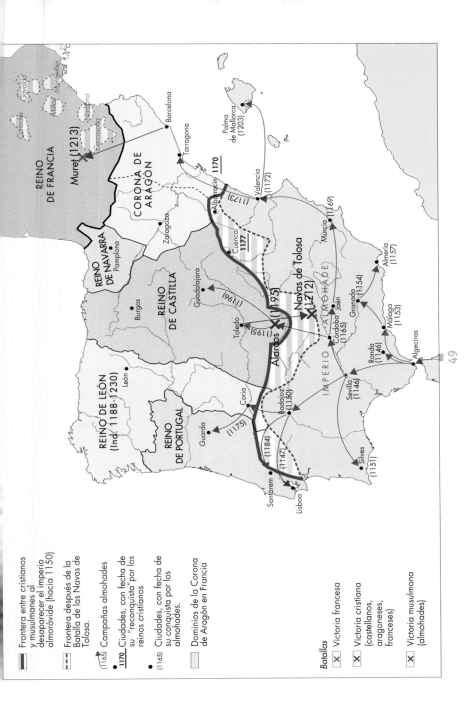

REINO DE FRANCIA

Muret (1213) ✗

Carcasona
Narbona
Montpellier
Millau
Cévennes
Córcega

CORONA DE ARAGÓN

Barcelona
Tarragona
Palma de Mallorca (1203)

REINO DE NAVARRA

Pamplona

Zaragoza

Albarracín (1173)
1170
Valencia (1172)
Cuenca 1177

REINO DE CASTILLA

Burgos
Guadalajara (1196)
Toledo
Alarcos ✗ (1195)
(1195)
Navas de Tolosa ✗ (1212)

Murcia (1169)
Almería (1157)
Granada (1154)
Jaén
Córdoba (1165)
Málaga (1153)
Ronda (1146)
Algeciras

IMPERIO ALMOHADE

Sevilla (1146)
Badajoz (1150)
Coria
(1175)
(1184)
(1147)
Silves (1151)
Guarda
Santarem
Lisboa

REINO DE LEÓN
(Ind. 1188-1230)

León

REINO DE PORTUGAL

Batallas

▭ Frontera entre cristianos y musulmanes al desaparecer el imperio almorávide (hacia 1150)

▭ Frontera después de la Batalla de las Navas de Tolosa.

(1165) Campañas almohades

● **1170** Ciudades, con fecha de su "reconquista" por los reinos cristianos

● (1165) Ciudades, con fecha de su conquista por los almohades.

▭ Dominios de la Corona de Aragón en Francia

Batallas

✗ Victoria francesa

✗ Victoria cristiana (castellanos, aragoneses, franceses)

✗ Victoria musulmana (almohades)

49

2.8 La «Reconquista» en el siglo XIII

La derrota de Muret (1213) implicó el repliegue de la Casa de Aragón al sur de los Pirineos y la orientación de la expansión aragonesa hacia el Mediterráneo bajo Jaime I. A ello ayudó la quiebra del Imperio almohade tras la batalla de las Navas de Tolosa (1212), en la que castellanos, leoneses, navarros, catalanes y aragoneses unieron sus fuerzas para poner fin a la amenaza que representaba. La astucia política de Fernando III de León y Castilla (reunificados por él en 1230) marcó el final de los almohades en la Península Ibérica. Hábilmente logró incitar la revuelta de los andalusíes contra sus señores africanos y, en 1233, los almohades perdían sus últimos reductos en la península. La supremacía cristiana era irreversible: los portugueses alcanzaron el borde meridional de la Península (1238) y los castellano-leoneses se adueñaron con facilidad de Andalucía, tomando Córdoba en 1236, Jaén en 1246, Sevilla en 1248 y Cádiz en 1263.

Al mismo tiempo, la Corona de Aragón incorporaba Valencia (1238) y Játiva (1248). En 1244 los dos grandes monarcas conquistadores —Fernando III y Jaime I— fijaron por el Tratado de Almizra sus respectivas áreas de influencia en Levante, quedando incorporada Murcia a Castilla. Para los catalano-aragoneses, el límite impuesto al sur de Alicante no representó un obstáculo, pues desde la conquista de Baleares (1229) tenían puestas sus miras en el Mediterráneo; al concluir el siglo pertenecían ya a la Corona de Aragón: Córcega, Cerdeña y Sicilia, y los catalanes disponían de consulados que llegaban hasta Alejandría, Rodas y Constantinopla. En la segunda mitad del siglo XIII y a lo largo de toda la centuria posterior las fronteras permanecieron estables y se mantuvo casi inalterable el equilibrio de los cinco reinos de la Península hasta la culminación de la conquista castellana del reino nazarí de Granada en 1492.

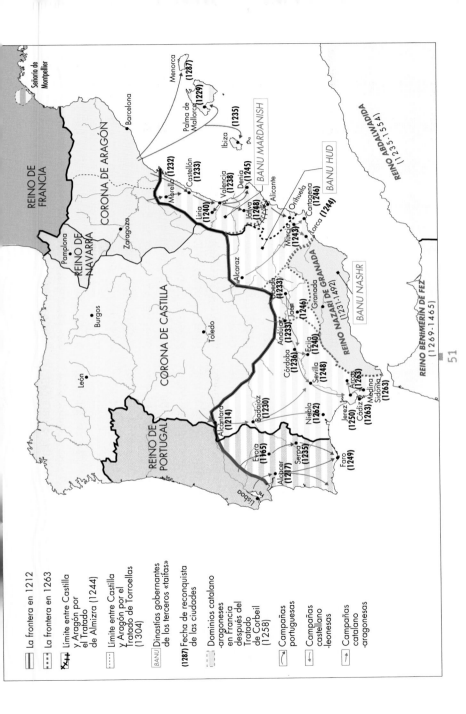

La frontera en 1212

La frontera en 1263

Límite entre Castilla y Aragón por el Tratado de Almizra (1244)

Límite entre Castilla y Aragón por el Tratado de Torroellas (1304)

BANU Dinastías gobernantes de los terceros «taifas»

(1287) Fecha de reconquista de las ciudades

Dominios catalano-aragoneses en Francia después del Tratado de Corbeil (1258)

Campañas portuguesas

Campañas castellano-leonesas

Campañas catalano-aragonesas

REINO DE FRANCIA

Señorío de Montpellier

CORONA DE ARAGÓN

REINO DE NAVARRA

REINO DE CASTILLA

CORONA DE CASTILLA

REINO DE PORTUGAL

BANU MARDANISH

BANU HUD

BANU NASHR

REINO NAZARÍ DE GRANADA (1231-1492)

REINO ABDALWADIDA (1235-1554)

REINO BENIMERÍN DE FEZ (1269-1465)

Barcelona

Pamplona

Zaragoza

Burgos

León

Toledo

Alcaraz

Lisboa

Menorca **(1287)**

Palma de Mallorca **(1229)**

Ibiza **(1235)**

Morella **(1232)**

Castellón **(1233)**

Liria **(1240)**

Valencia **(1238)**

Denia **(1245)**

Játiva **(1248)**

Alicante

Orihuela

Murcia **(1243)**

Cartagena

Lorca **(1244)**

Úbeda **(1233)**

Jaén **(1246)**

Granada

Andújar **(1233)**

Córdoba **(1236)**

Écija **(1240)**

Sevilla **(1248)**

Arcos **(1263)**

Jerez **(1250)**

Cádiz **(1263)**

Medina Sidonia **(1263)**

Niebla **(1262)**

Badajoz **(1230)**

Alcántara **(1214)**

Évora **(1165)**

Alcácer **(1217)**

Serpa **(1235)**

Faro **(1249)**

51

2.9 Fueros medievales

En el área cristiana peninsular se denominó *fueros* a los ordenamientos o las leyes propias de comunidades, estamentos, personas y corporaciones. Sus fundamentos eran la costumbre y los usos conforme a los cuales se asentó la vida en comunidad, y su formalización vino determinada por la carencia de normas generales, que dieron lugar a diversos derechos particulares, privilegios e inmunidades. En el caso de los fueros municipales, su desarrollo estuvo vinculado al proceso de repoblación y fundación de ciudades entre los siglos X y XV, siendo casi siempre otorgados por un rey o señor para estimular el poblamiento y la creación de ciudades en sus dominios. Aunque se trataba de leyes particulares, de muy variada índole, los historiadores han observado que los fueros se inspiraban unos en otros, que se pueden agrupar en *familias* según el modelo que cada comunidad tomaba para reglamentarse y que, bajo su aparente diversidad,

presentan una cierta uniformidad normativa peninsular, que traspasa, en ocasiones, las fronteras políticas.

Según parece, en unos lugares se adoptó el fuero de otros por considerarlo modélico (como el Fuero de Logroño concedido por Alfonso VI, y cuya extensión se debió a que lo tomaron como modelo los señores de Haro y Vizcaya), por el origen de los repobladores (que reproducían los fueros de sus lugares de origen) y por la pertenencia a un mismo señor (en Cataluña, los *usatges* de Barcelona se aplicaron a los territorios sometidos al conde de Barcelona y se extendieron en el siglo XII a Urgel y Tortosa, y en el XIII a Rosellón, Cerdaña y Ampurias). En el siglo XIII —y esto indica la tendencia a la uniformidad— se utilizaron modelos o redacciones para la elaboración de fueros, inspirados por ejemplo en el de Jaca, el de Cuenca o el de Toledo.

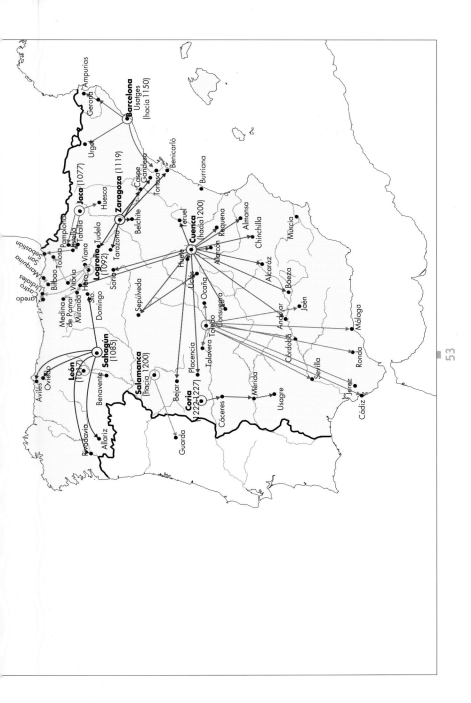

Tercera parte
La Monarquia Hispana

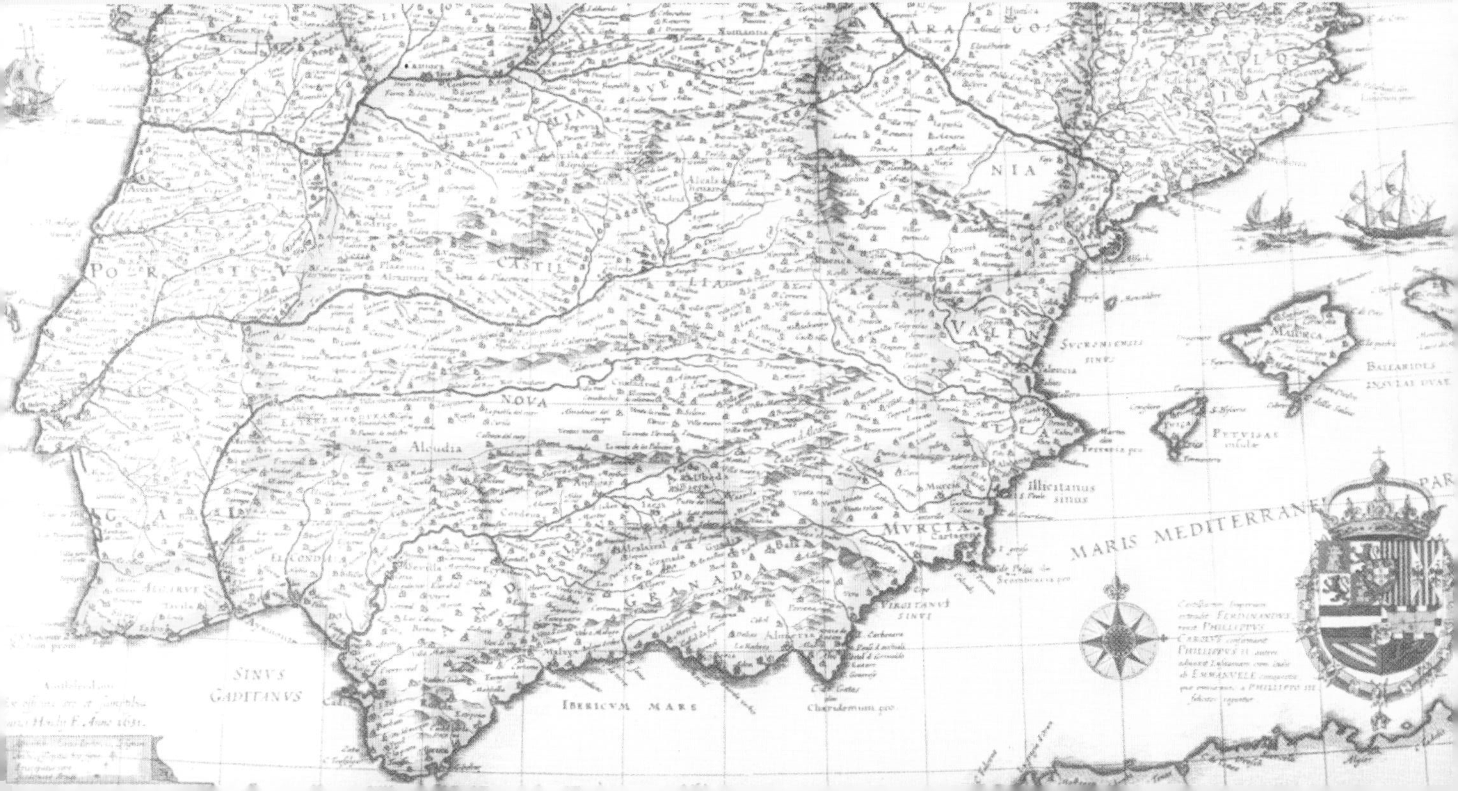

3.1 La unión dinástica de Castilla y Aragón (1479)

Durante la Baja Edad Media los reinos cristianos se vertebraron como comunidades políticas; en ellas el poder estaba repartido en diferentes ámbitos, como las ciudades, los señores, la Iglesia, las órdenes militares... La Monarquía disponía de una función preeminente, actuando como instancia arbitral y mediadora. Por causa de las leyes de sucesión y de las combinaciones dinásticas, las casas reales fueron agrupando dominios que, como comunidades políticas constituidas, no eran anexionadas, sino agregadas: todos los dominios eran independientes entre sí, ligados tan sólo por tener en común al mismo soberano. En la Corona de Aragón este esquema «confederal» se mantuvo inalterable, mientras que en Castilla, se tendió a una mayor integración del conjunto como una sola comunidad política. Pese a las diferencias, en ambos casos la unión personal obligaba a los reyes a comportarse como si sólo fueran soberanos de cada uno de sus dominios en particular. Por eso los monarcas se desplazaban continuamente con su Corte (séquito y familia), para estar presentes entre sus súbditos y atender sus obligaciones; no existía una capital o centro «administrativo», ni era lícito gobernar en la distancia (la ausencia del rey era provisionalmente cubierta por virreyes, lugartenientes o gobernadores). Nada de esto se alteró cuando en 1479 las dos grandes coronas ibéricas quedaron unidas por el matrimonio de Fernando II de Aragón e Isabel I de Castilla. La Corona de Aragón era una entidad mediterránea, cuya tendencia expansiva se dirigía hacia Italia; Castilla, sin embargo, continuaba la *reconquista*: Granada y el norte de África eran sus áreas de interés. Pero, pese a estar de espaldas la una a la otra, la Casa Real fue el eje que dio coherencia al conjunto respecto al exterior. La concesión papal del título de *Reyes Católicos*, que ostentarían sus sucesores, reforzó su función unificadora, por aludir a la titulación de los reyes visigodos.

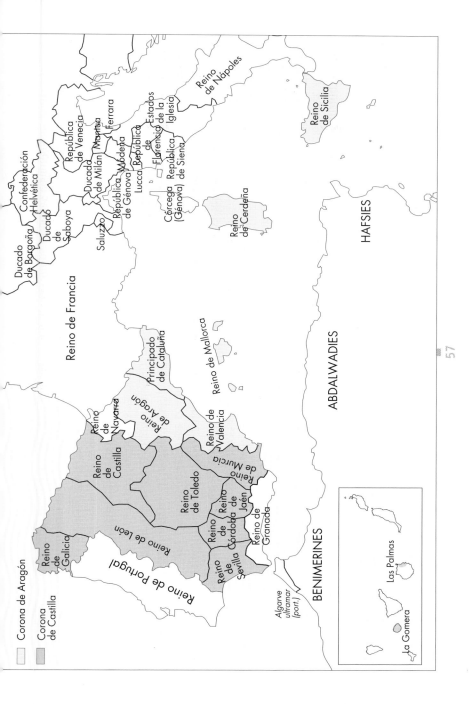

Corona de Aragón
Corona de Castilla

Reino de Galicia
Reino de Castilla
Reino de Navarra
Reino de Aragón
Principado de Cataluña
Reino de León
Reino de Portugal
Reino de Toledo
Reino de Valencia
Reino de Mallorca
Reino de Murcia
Reino de Jaén
Reino de Córdoba
Reino de Sevilla
Reino de Granada
Algarve ultramar (port.)

BENIMERINES
ABDALWADIES
HAFSIES

Las Palmas
La Gomera

Reino de Francia
Ducado de Borgoña
Confederación Helvética
Ducado de Saboya
Saluzzo
República de Venecia
Ducado de Milán
Mantua
Ferrara
Modena
República de Génova
Lucca
República de Florencia
Estados de la Iglesia
Córcega (Génova)
República de Siena
Reino de Cerdeña
Reino de Nápoles
Reino de Sicilia

57

3.2 La Inquisición española (1478-1558)

Por la bula *Exigit Sincerae Devotionis* de 1478, la Santa Sede concedió a Isabel I la creación de la Inquisición de Castilla. Para la reina, como para sus predecesores, era una función inherente al mandato regio la protección de la Iglesia y de los fieles, cuyo bienestar —como súbditos— debía asegurar. La Corona encontró en el gobierno espiritual un instrumento para reforzar su autoridad sobre la sociedad. La Iglesia (*Congregación del clero*, 1478) admitió esta «injerencia» para fortalecer su monopolio sobre las conciencias y los comportamientos, suprimiendo, gracias a la fuerza del poder político, las formas tradicionales de la religión popular, erradicando la magia, la superstición, el curanderismo y las diversiones populares. La *reforma española*, fundada en la «unión del trono y el altar», buscaba la configuración de una sociedad perfecta, homogénea y sin fisuras, lo cual condujo a la expulsión de los judíos (1492) y a la conversión forzosa de los moriscos de

Granada en 1502. La Inquisición tuvo la misión de vigilar la ortodoxia de los conversos (judíos bautizados) y perseguir la heterodoxia, pero pronto se dirigió al conjunto de la población bautizada, que, unida bajo una sola fe, era disciplinada y sometida por su mano siguiendo el adagio *religio vincula societatis* (la religión une a la sociedad). En 1483, al crearse un Consejo de Inquisición, la Corona adquirió un mayor control del aparato represivo de la herejía, e hizo suya la institución; pero no puede decirse que la Inquisición estuviera plenamente desarrollada hasta el año 1500, cuando el inquisidor general Deza fijó los distritos y la jurisdicción de los tribunales provinciales. Desde entonces, el *Santo Oficio de la Inquisición* se estructuró como una red jerarquizada desde el Consejo, siendo la única institución centralizada común a las Coronas de Castilla y Aragón, que llegaba a todos los lugares y no respetaba los límites formales de las comunidades políticas.

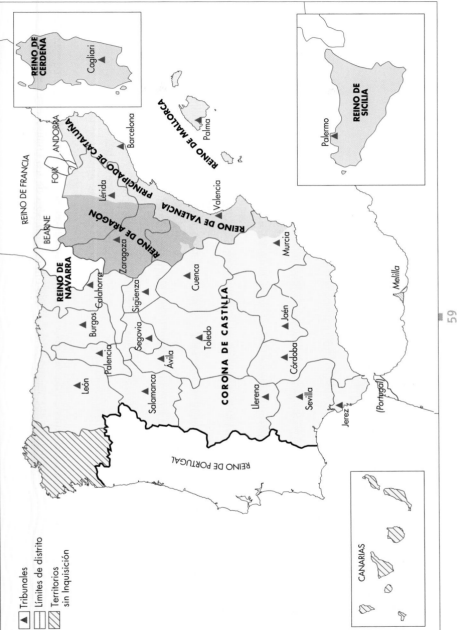

Tribunales
Límites de distrito
Territorios sin Inquisición

REINO DE CERDEÑA
Cagliari

REINO DE SICILIA
Palermo

REINO DE FRANCIA
BEARNE
FOIX
ANDORRA

REINO DE NAVARRA

PRINCIPADO DE CATALUÑA
Barcelona
Lérida

REINO DE ARAGÓN
Zaragoza

REINO DE VALENCIA
Valencia

REINO DE MALLORCA
Palma

Calahorra
Burgos
León
Palencia
Salamanca
Segovia
Ávila
Sigüenza
Cuenca
Toledo
Murcia
Jaén
Córdoba
Llerena
Sevilla
Jerez

CORONA DE CASTILLA

REINO DE PORTUGAL
(Portugal)

Melilla

CANARIAS

59

3.3 El descubrimiento de América

Para Castilla, 1492 fue un final y un principio. El fin de la *Reconquista*, con la toma de Granada, y el principio de la *conquista*, con el descubrimiento de América. Los éxitos portugueses en Guinea (hallazgo de oro en el río Volta) influyeron para reconsiderar un proyecto rechazado en 1481: alcanzar Asia por Occidente. Dicha ruta había sido concebida por Cristóbal Colón, que recibió privilegio para buscarla y explotar las tierras que hallase. Con una flota de tres carabelas, zarpó de Palos el 3 de agosto de 1492 y, empujado por los vientos alisios, tocó tierra el 12 de octubre. El recorrido incansable de exploración realizado en las Antillas tuvo la impronta de las aventuras portuguesas y su manera de buscar placeres auríferos, que, sin embargo, no encontró. Un año después regresaba aprovechando el alisio del nordeste, en septiembre, y dando noticia de su hallazgo, que conmocionó al mundo. La exactitud del viaje, aprovechando el régimen de vientos, ha hecho pensar que Colón disponía de información fide-

digna de una fuente secreta; así mismo, se ha discutido mucho sobre los propósitos de Colón, pues en su aventura hubo un componente mesiánico enlazado al afán de riqueza. A su regreso escribió el *Libro de las profecías* para dar a conocer lo que le llevó a proyectar su ruta a Asia: «no me aprovechó razón ni matemática ni mapamundos; llanamente se cumplió lo que dijo (el profeta) Isaías». Según él, al interpretar y seguir la profecía, confiaba en obtener las riquezas necesarias para «liberar» Jerusalén y salvar a la Cristiandad, aunque los Reyes Católicos no parecían muy convencidos de ello: «Protesté a Vuestras Altezas, que toda la ganancia de esta mi empresa se gastase en la conquista de Jerusalén, y Vuestras Altezas se rieron». Después de repetir tres veces el viaje al nuevo mundo, explorando las Antillas y la costa firme, Colón murió creyendo que había alcanzado *Cipango* (Japón) y *Catay* (China), las tierras descritas por Marco Polo, sin saber que había llegado a un nuevo continente.

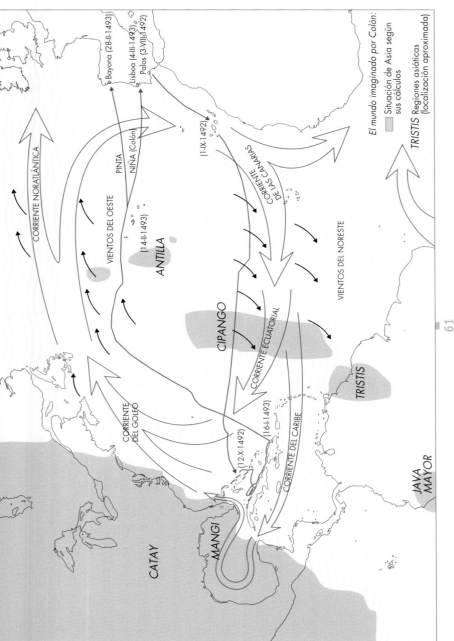

Bayona (28-II-1493)
Lisboa (4-III-1493)
Palos (3-VIII-1492)

PINTA
NIÑA (Colón)

(1-IX-1492)

CORRIENTE NORATLÁNTICA

VIENTOS DEL OESTE

(14-I-1493)

ANTILLA

CORRIENTE CANARIAS DE LAS CANARIAS

VIENTOS DEL NORESTE

CIPANGO

CORRIENTE ECUATORIAL

CORRIENTE DEL GOLFO

(12-X-1492)

(16-I-1493)

CORRIENTE DEL CARIBE

TRISTIS

CATAY

MANGI

JAVA MAYOR

El mundo imaginado por Colón:

Situación de Asia según sus cálculos

TRISTIS Regiones asiáticas (localización aproximada)

61

3.4 El reparto del mundo entre Castilla y Portugal

A finales del siglo XV, la Corona y los navegantes castellanos mostraban un creciente interés por el Atlántico. Oro, marfil, esclavos, tintes, especias y tierras para colonizar fueron los acicates de dicho interés. No obstante, la Corona portuguesa había tomado la iniciativa y fue por delante en la expansión atlántica, y la competencia llevó al enfrentamiento en 1475. La firma de la paz, a través de los tratados de Alcaçovas y Toledo de 1479, aseguraron el Atlántico africano a los portugueses, mientras que los castellanos se quedaron con las Islas Canarias (fijando una línea de demarcación a la altura del Cabo Bojador). Poco después, en 1481, Juan II de Portugal reanudó la expansión hacia el África subsahariana, obteniendo un gran éxito al descubrirse oro en la desembocadura del río Volta. Mientras los portugueses circunnavegaban África con las miras puestas en la India, los castellanos, sin posibilidades de navegar y comerciar con la costa africana,

vieron con buenos ojos la idea de Colón de navegar por mar abierto hacia Occidente. El descubrimiento de América en 1492 obligó nuevamente a fijar los límites entre unos y otros: el arbitraje del papa Alejandro VI (*bulas alejandrinas* de 1493) propuso una demarcación que dividía el mundo en dos mitades reservadas a cada Corona, separadas por un meridiano situado a 100 leguas al oeste de Cabo Verde (37°15'), y que fue ratificada con ligeras modificaciones en el Tratado de Tordesillas (1494), que fijó la divisoria en 370 leguas al oeste (46°37'). No se disponía de instrumentos de medida eficaces para delimitar correctamente el antimeridiano en el otro hemisferio y, cuando los castellanos circunnavegaron el globo terrestre (expedición de Magallanes y Elcano en 1519) surgió nuevamente el conflicto; la disputa llevó a colonizar las Filipinas y a mantener un forcejeo con Portugal hasta que los españoles evacuaron Ternate (Islas Molucas) en 1662.

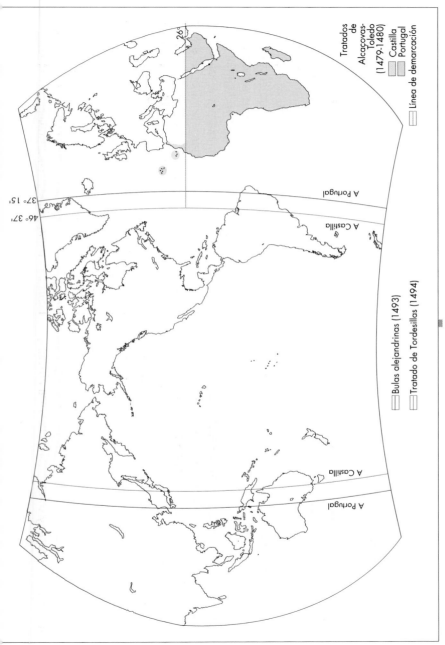

Tratados de Alcáçovas-Toledo (1479-1480)

Castilla

Portugal

Línea de demarcación

Bulas alejandrinas (1493)

Tratado de Tordesillas (1494)

A Portugal

A Castilla

37º 15'

46º 37'

A Castilla

A Portugal

26

3.5 El Imperio de Carlos V

La política «mundial» de Carlos V estuvo marcada por la inmensidad de su patrimonio y las circunstancias en que lo adquirió. Su Imperio fue el resultado de sucesivas combinaciones dinásticas que confluyeron en él por herencia. Como hijo primogénito de Felipe *el Hermoso* y de Juana I de Castilla, heredó Borgoña y el Imperio por sus abuelos paternos y las coronas de Castilla y Aragón por los maternos. En 1519, tras sucesivas herencias, se encontró virtualmente dueño de Europa y del mundo; esto pudo impresionarle hasta el punto de sentirse predestinado para una misión trascendente, lo que tal vez diera lugar a su idea imperial. Más que una misión espiritual, Carlos V hizo suyo el sentido del deber hacia el linaje, obligándose a perpetuar para sus sucesores lo que había heredado (aumentándolo si era posible). Esta noción, muy arraigada en la tradición de la Casa de Borgoña, significaba que la dinastía —la Casa de Habsburgo— y su encarnación temporal en la persona del soberano, hacían de los *estados* (dominios) cosas personalmente suyas, su patrimonio; pero esta propiedad tenía límites. En la Corona de Castilla se temió que el soberano ignorase su vínculo personal entre rey y reino (encarnado por los súbditos con poder); la concesión de mercedes y oficios a extranjeros parecía desconocer la existencia de una correspondencia entre la protección a los súbditos y la contrapartida de su fidelidad y devoción. En este sentido, la Guerra de las Comunidades de Castilla (1520-21) constituyó una seria advertencia: el emperador debía gobernar como si sólo fuera monarca de cada una de sus posesiones, lo cual se transformó en un principio inviolable bajo el gobierno de la Casa de Habsburgo. La estructura heredada de los Reyes Católicos se mantuvo inconmovible por espacio de dos siglos; no hubo reformas en profundidad, salvo las que afectaron a la Casa y Corte entre 1520 y 1548, que reforzaron el papel integrador del espacio cortesano.

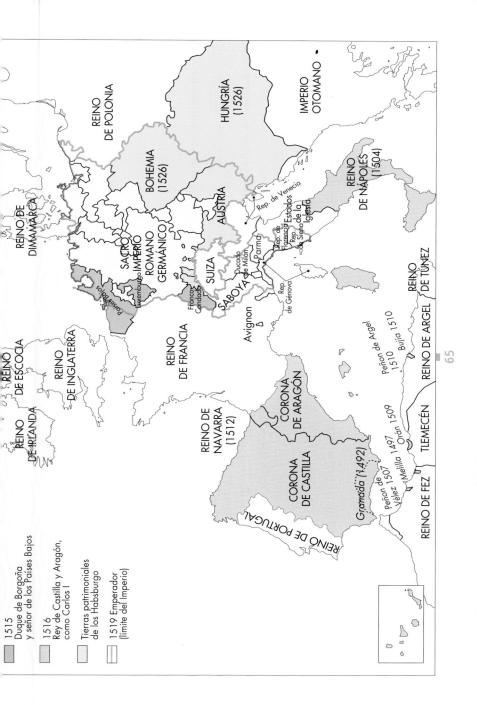

1515
Duque de Borgoña
y señor de los Países Bajos

1516
Rey de Castilla y Aragón,
como Carlos I

Tierras patrimoniales
de los Habsburgo

1519 Emperador
(límite del Imperio)

REINO DE ESCOCIA

REINO DE IRLANDA

REINO DE INGLATERRA

REINO DE DINAMARCA

REINO DE POLONIA

Países Bajos

Luxemburgo

SACRO IMPERIO ROMANO GERMÁNICO

BOHEMIA (1526)

HUNGRÍA (1526)

IMPERIO OTOMANO

REINO DE FRANCIA

Franco Condado

SUIZA

AUSTRIA

SABOYA

Ducado de Milán

Parma

Rep. de Venecia

Rep. de Génova

Rep. de Florencia

Estados de la Iglesia

REINO DE NÁPOLES (1504)

Avignon

REINO DE NAVARRA (1512)

CORONA DE ARAGÓN

CORONA DE CASTILLA

Granada (1492)

REINO DE PORTUGAL

Peñón de Vélez 1507

Melilla 1497

Orán 1509

Peñón de Argel 1510

Bujía 1510

REINO DE FEZ

TLEMECÉN

REINO DE ARGEL

REINO DE TÚNEZ

65

3.6 América en tiempos de Carlos V

Los viajes colombinos tuvieron magros resultados, pues las tierras recién descubiertas no brillaban por su riqueza. En 1502 una flota de 30 buques y 1.200 hombres, bajo el mando de Nicolás de Ovando, fue a «poblar» las Indias, dando comienzo a la colonización de las Antillas: desde la base inicial de La Española (Santo Domingo), se fundaron colonias en San Juan (Puerto Rico) en 1508, Fernandina (Cuba) y Santiago (Jamaica) en 1511. En 1503 se construyó el primer ingenio azucarero y en 1517 las grandes Antillas eran ya un gran centro exportador de azúcar a Europa. Pronto surgieron problemas de escasez de mano de obra indígena: por causa de los trabajos forzados, las malas condiciones de vida y las enfermedades europeas, de los 500.000 habitantes que tenía La Española en 1492 apenas quedaban 32.000 en 1514. La búsqueda de mano de obra llevó a explorar la costa continental, donde en 1514 se creó una gobernación: *Castilla del Oro*. En 1505 la explota-

ción de placeres auríferos en el interior desató la fiebre del oro; en dicho año llegaron a Castilla 445.000 ducados de oro antillano, y 1.435.000 en 1515, quedando prácticamente agotada la explotación en 1520. Este primer ensayo colonizador (1492-1518) dio paso a un segundo proceso de conquista (1519-78). El segundo periodo se caracterizó por el contacto con las grandes civilizaciones azteca, maya e inca, cuya cultura y riqueza atrajeron a gran cantidad de conquistadores, que las destruyeron. Se trataba de civilizaciones con una vida política y social compleja, con un arte y una cultura vigorosas (que habían creado construcciones imponentes), pero también con limitaciones como un rudimentario tejido económico, técnicas agrícolas muy pobres y escaso desarrollo de la metalurgia y el transporte (sin usar la rueda). Al tratarse de poblaciones habituadas a la existencia de un orden político y administrativo, se adaptaron al orden impuesto por la conquista.

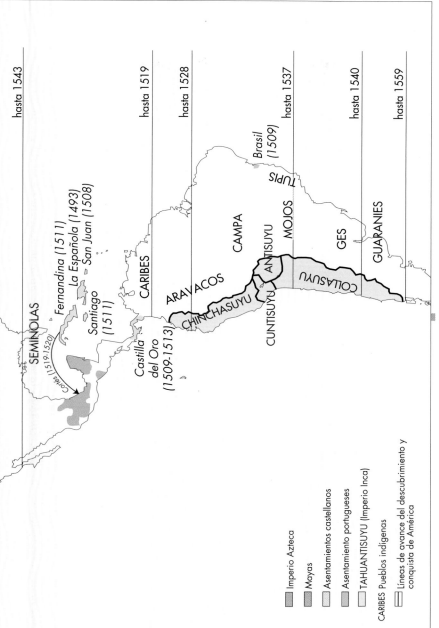

hasta 1543

hasta 1519

hasta 1528

hasta 1537

hasta 1540

hasta 1559

SEMÍNOLAS

Fernandina (1511)
La Española (1493)
Santiago = San Juan (1508)
(1511)

Colón (1519-1520)

Castilla
del Oro
(1509-1513)

CARIBES

ARAVACOS

CHINCHASUYU

CUNTISUYU

ANTISUYU

CAMPA

MOJOS

COLLASUYU

TUPIS

Brasil
(1509)

GES

GUARANÍES

Imperio Azteca

Mayas

Asentamientos castellanos

Asentamiento portugueses

TAHUANTISUYU (Imperio Inca)

CARIBES Pueblos indígenas

Líneas de avance del descubrimiento y
conquista de América

67

3.7 Conquista de México y Yucatán

La expansión española en la América continental se llevó a cabo en poco tiempo. No hubo ninguna planificación, sino que fue fruto de la iniciativa privada: asociaciones de particulares constituían «empresas» de conquista, de acuerdo con los términos de una concesión dada por la Corona (capitulación). Entre 1516 y 1518, Diego Velázquez, gobernador de Cuba, organizó varias expediciones al continente. Una de ellas, comandada por Hernán Cortés, topó con el Imperio azteca. Partió de Santiago en noviembre de 1518, con 11 navíos, que transportaban 689 hombres, 32 caballos, diez cañones, cuatro falconetes y cerca de una veintena de mosquetes. Cortés fundó Veracruz para desvincularse del gobernador de Cuba y penetró en el interior hasta alcanzar la capital azteca, Tenochtitlán. Dispuso de muy buenos intérpretes, que facilitaron su conocimiento de la civilización azteca: supo de la existencia de pueblos tributarios de aquéllos —los totonecas y los tlaxcaltecas—, con los que se alió para reunir un ejército de millares de indios con los que realizar la conquista. Además, supo deformar hábilmente los mitos indígenas, como el del regreso del dios Quetzalcóatl, para desorientar y desmoralizar a sus enemigos. El 8 de noviembre de 1519 entró en la capital; pero tanto el desembarco de un contingente del gobernador de Cuba como la derrota ante los aztecas en julio de 1520 le distrajeron de su propósito, que no concluyó con éxito hasta el verano de 1521, al rendirse Tenochtitlán y apresar al emperador azteca Cuauhtémoc cuando huía hacia Texcoco. En agosto de 1522 Cortés fue nombrado gobernador del territorio recién conquistado (México), bautizado como Nueva España. Desde allí encabezó, en 1524, una expedición que sería la primera de una serie que, partiendo de México, efectuarían la conquista del Yucatán y los reinos mayas. Mientras, desde Panamá se desarrolló la conquista de América Central.

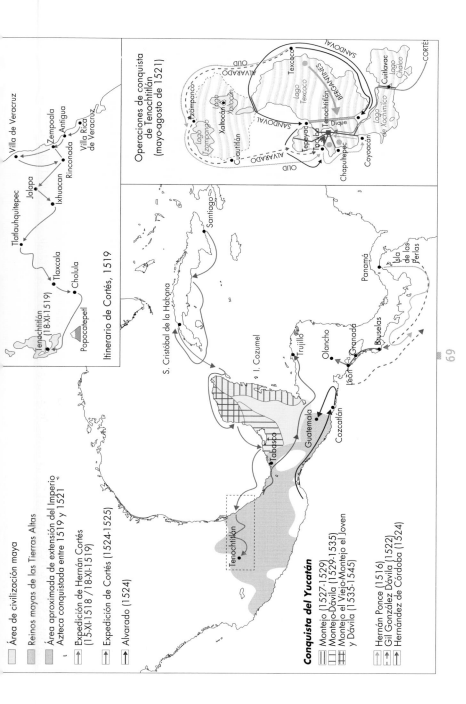

Área de civilización maya

Reinos mayas de las Tierras Altas

Área aproximada de extensión del Imperio Azteca conquistada entre 1519 y 1521

Expedición de Hernán Cortés (15-XI-1518 / 18-XI-1519)

Expedición de Cortés (1524-1525)

Alvarado (1524)

Conquista del Yucatán

Montejo (1527-1529)

Montejo-Dávila (1529-1535)

Montejo el Viejo-Montejo el Joven y Dávila (1535-1545)

Hernán Ponce (1516)

Gil González Dávila (1522)

Hernández de Córdoba (1524)

Itinerario de Cortés, 1519

Villa de Veracruz · Zempoala · Antigua · Rinconada · Tlatlauhquitepec · Jalapa · Ixhuacan · Villa Rica de Veracruz · Tlaxcala · Cholula · Popocatepetl · Tenochtitlán (18-XI-1519)

Operaciones de conquista de Tenochtitlán (mayo-agosto de 1521)

SANDOVAL · OLID · ALVARADO · BERGANTINES · CORTÉS

Texcoco · Zumpango · Lago Zumpango · Lago Xaltocan · Xaltocan · Xalocan · Cuautitlán · Tepeyac · Tacuba · Tenochtitlán · Dique · Chapultepec · Coyoacán · Cuitlavac · Lago Chalco · Lago Xochimilco · Lago Texcoco

Santiago · S. Cristóbal de la Habana · I. Cozumel · Trujillo · Olancho · Granada · León · Panamá · Bruselas · Isla de las Perlas · Tabasco · Guatemala · Cozcatlán · Tenochtitlán

3.8 Conquista de América del Sur

El éxito de Cortés fue el preámbulo de la conquista de América del Sur; la conquista de México constituyó un modelo que trataron de emular muchos colonizadores. Panamá fue el punto de partida desde donde se sucedieron exploraciones y reconocimientos de la costa del *Mar del Sur*. En 1522 Pascual de Andagoya tuvo las primeras noticias de un reino del *Birú* que atrajo el interés de otros conquistadores, como Francisco Pizarro, que concibió el proyecto de conquistarlo en 1524, con sus socios Hernando de Luque y Diego de Almagro. La expedición estuvo al borde del fracaso, pero en 1527 alcanzaron Túmbez y descubrieron el Imperio inca (*Tahuantisuyu*). Pizarro se dirigió a España para obtener fondos y firmar una capitulación con el emperador (1529), comenzando la conquista del Perú en 1531. Con 180 hombres y 27 caballos se apoderó de Túmbez (1532) y, antes de que finalizase el año, dominó el *Tahuantisuyu*. Fue decisiva la audaz acción de Cajamarca del 16 de noviembre, cuan-

do Pizarro apresó al inca Atahualpa fingiendo que se acercaba a rendirle honores; el inca (emperador) era tenido por un dios en la Tierra, que reunía el poder político y religioso, de modo que el imperio quedó descabezado, sin autoridad y sin fuerza. Los tesoros de Atahualpa eran tan fabulosos que se dio verosimilitud a las leyendas e historias de reinos y lugares maravillosos, haciendo de Cuzco una segunda base de partida para exploraciones y conquistas. Siguiendo el mito de Eldorado, Orellana recorrió el Amazonas. En 1536 Pedro de Mendoza llegó al Río de la Plata y fundó Buenos Aires; esta colonia fracasó y hubo un repliegue hasta Asunción de Paraguay, renaciendo la ocupación de la zona en 1580. Belalcázar se dirigió a las tierras altas, conquistó el reino de Quito y cruzó la actual Colombia. Almagro y después Valdivia se estancaron en Chile ante la tenaz resistencia de los araucanos. Hacia 1580 el movimiento expansivo se atenuó y se estabilizó la frontera.

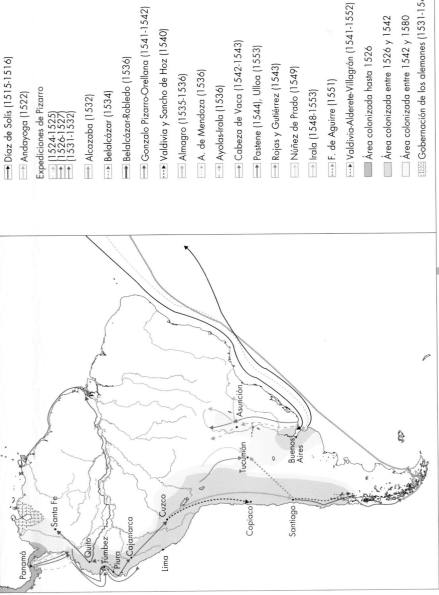

↑ Díaz de Solís (1515-1516)

↑ Andayoga (1522)

Expediciones de Pizarro
⫤ (1524-1525)
⫤ (1526-1527)
↑↑↑ (1531-1532)

↑ Alcazaba (1532)

↑ Belalcázar (1534)

↑ Belalcázar-Robledo (1536)

↑ Gonzalo Pizarro-Orellana (1541-1542)

↑ Valdivia y Sancho de Hoz (1540)

↑ Almagro (1535-1536)

↑ A. de Mendoza (1536)

↑ Ayolas-Irala (1536)

↑ Cabeza de Vaca (1542-1543)

↑ Pastene (1544), Ulloa (1553)

↑ Rojas y Gutiérrez (1543)

↑ Núñez de Prado (1549)

↑ Irala (1548-1553)

↑ F. de Aguirre (1551)

↑ Valdivia-Alderete-Villagrán (1541-1552)

▨ Área colonizada hasta 1526

▨ Área colonizada entre 1526 y 1542

☐ Área colonizada entre 1542 y 1580

▦ Gobernación de los alemanes (1531-1542)

3.9 La España del Quijote (hacia 1600)

Felipe II (1556-1598) transformó el informe conjunto patrimonial heredado de Carlos V en una entidad orgánica, aglutinada bajo la confesión católica y la dinastía: la *Monarquía Hispánica*. Su proyecto no era unitario, sino corporativo, integrando todos los dominios como un cuerpo en el que cada órgano ejercía su función: los territorios conservaban su independencia, coordinados desde la cabeza del organismo, la Corte, que quedó fijada en Madrid desde 1561. El soberano iba a gobernar desde la distancia, haciéndose presente en cada rincón del territorio por una red de mecanismos que facilitaran el acceso de los súbditos a su persona. Las reformas de Felipe II no pretendían afirmar el absolutismo, sino mejorar la gestión de lo suyo, sin menoscabo de las instituciones, leyes y demarcaciones existentes. En los siglos XVI y XVII el espacio estaba dividido por relaciones jurídicas entre personas y corporaciones con derechos y deberes privativos, formando dominios inmunes en los que no podía haber injerencias fuera de lo dispuesto en sus fueros y privilegios. Cada demarcación era un área sobre la que se ejercía un dominio (*districtio*), pero ninguna significaba lo mismo que las demás: estas realidades desiguales ilustran la pluralidad de poderes de la época. Sin más que reformar lo existente, Felipe II centralizó y jerarquizó la administración de justicia, gracia y merced. Los letrados, que coparon los puestos de los consejos, audiencias y corregimientos, se encargaron de mantener la jurisdicción real, culminando un proceso organizativo iniciado bajo los Reyes Católicos. La nobleza se situó junto al rey en la dirección de los asuntos de Estado y Guerra, siendo su papel muy relevante al final del reinado de Felipe II y fundamental durante el de Felipe III (1598-1621), pues la figura del *valido* (primer ministro en el que el rey se apoyaba y delegaba funciones) subrayó la preeminencia política y social de la aristocracia.

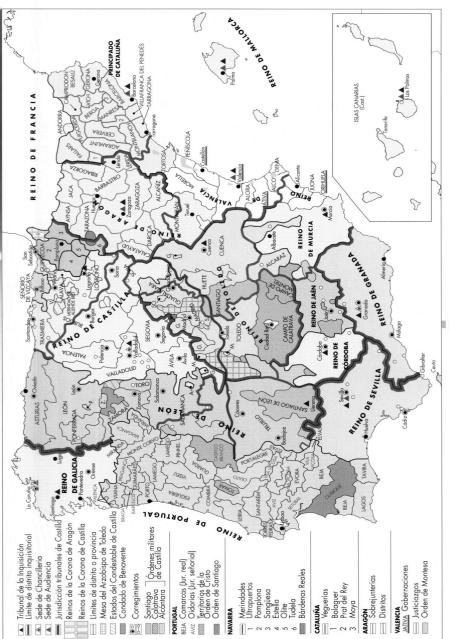

Tribunal de la Inquisición
- Límite de distrito inquisitorial
- Sede de Chancillería
- Sede de Audiencia
- Jurisdicción tribunales de Castilla
- Reinos de la Corona de Aragón
- Reinos de la Corona de Castilla
- Límites de distrito o provincia
- Mesa del Arzobispo de Toledo
- Estados del Condestable de Castilla
- Condado de Benavente
- Corregimientos
- Santiago ⎱ Órdenes militares
- Calatrava ⎰ de Castilla
- Alcántara

PORTUGAL
- BEJA Comarcas (Jur. real)
- AVIZ Oidorias (Jur. señorial)
- Territorios de la
  - Orden de Cristo
  - Orden de Santiago

NAVARRA
- Merindades
- 1 Ultrapuertos
- 2 Pamplona
- 3 Sangüesa
- 4 Estella
- 5 Olite
- 6 Tudela
- Bárdenas Reales

CATALUÑA
- Veguerías
- 1 Balaguer
- 2 Prat del Rey
- 3 Moya

ARAGÓN
- Sobrejunterías
- Distritos

VALENCIA
- JÁTIVA Gobernaciones
- Justiciazgos
- Orden de Montesa

73

3.10 La inquisición española en Europa y América (1558-1834)

Durante su estancia en Inglaterra y los Países Bajos (1554-59) Felipe II tuvo oportunidad de comprobar los avances que experimentaban las doctrinas protestantes y su repercusión en la inestabilidad política del norte de Europa. La unidad religiosa era una prioridad, tanto para mantener la paz como para impedir la disidencia confesional, que era disidencia política. Para ello, la Inquisición fue adaptada a las nuevas circunstancias: se dotó de una norma común de actuación a todos los tribunales (instrucciones de 1561); se amplió el número de distritos (para cubrir mejor el territorio); se reorganizaron las estructuras (con visitas o inspecciones regulares de cada distrito); se aumentaron sus medios materiales y el personal a su servicio: comisarios, oficiales y familiares (agentes o informantes locales establecidos en los lugares con más de 200 vecinos). La extensión sobre la totalidad de la Monarquía fracasó al no poder implantarse la Inquisición en Milán, Nápoles y los Países Bajos; pero, a pesar de ello, sirvió para integrar a la Monarquía Católica como comunidad unida en la religión y la lealtad al rey. La Inquisición fue muy severa en la represión de la herejía; pero desde finales del siglo XVI y a lo largo del XVII se afianzó como un instrumento de disciplina y control social, dedicado a vigilar las conductas más que las ideas. A pesar de la decadencia de su prestigio, la institución se mantuvo en el siglo XVIII. Hubo algunas tentativas de abolición, pero en los procesos a ilustrados como Macanaz y Olavide se percibió su importancia como instrumento político al servicio de la Corona. Hasta 1813 no fue abolida por vez primera, siendo resucitada por Fernando VII al calibrar su importancia para el mantenimiento del absolutismo; de modo que, pese a una segunda abolición en el Trienio Liberal (1820-23), sólo fue posible su desaparición en 1834, cuando el despotismo dio paso al liberalismo en el gobierno.

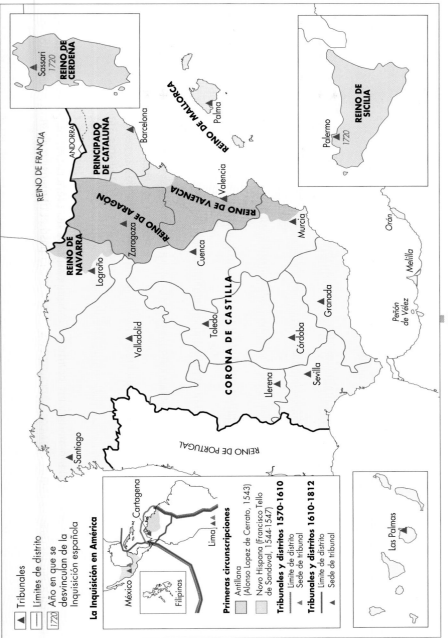

Tribunales

▲ Tribunales
— Límites de distrito
1720 Año en que se desvinculan de la Inquisición española

La Inquisición en América

México
Cartagena
Lima
Filipinas

Primeras circunscripciones

Antillana (Alonso Lopez de Cerrato, 1543)

Novo Hispana (Francisco Tello de Sandoval, 1544-1547)

Tribunales y distritos 1570-1610
— Límite de distrito
▲ Sede de tribunal

Tribunales y distritos 1610-1812
— Límite de distrito
▲ Sede de tribunal

REINO DE CERDEÑA
Sassari 1720

REINO DE SICILIA
Palermo 1720

REINO DE FRANCIA
ANDORRA

PRINCIPADO DE CATALUÑA
Barcelona

REINO DE MALLORCA
Palma

REINO DE NAVARRA
Logroño

REINO DE ARAGÓN
Zaragoza

REINO DE VALENCIA
Valencia

Cuenca
Murcia

CORONA DE CASTILLA

Valladolid
Toledo
Llerena
Córdoba
Sevilla
Granada

Santiago

REINO DE PORTUGAL

Orán
Melilla
Peñón de Vélez

Las Palmas

3.11 La Monarquía Hispana en Europa (en torno a 1600)

En 1556 Felipe II heredó de Carlos V los antiguos dominios de Borgoña, la Monarquía Hispana (con sus dependencias italianas) y el Ducado de Milán. Su política exterior se debatió entre los principios de conservación y confesionalidad. Al comienzo del reinado prevaleció el interés patrimonial, que hizo posible conciliar la alianza con príncipes protestantes como Isabel I de Inglaterra para defenderse de la común amenaza de Francia (con reclamaciones territoriales a uno y otro soberano). No obstante, los vientos confesionales que corrían por Europa forzaron a tomar en consideración la religión en la política exterior, pues, al emplearse como instrumento de poder en el interior, se asumió el compromiso de preservarla y defenderla. En 1571, la participación en la cruzada contra los turcos marcó este cambio, que a la larga hizo trascender otros conflictos, como la rebelión holandesa, en un conflicto confesional. De todos modos, siempre prevaleció el dinasticismo: los holandeses fueron tratados más como rebeldes que como herejes; la incorporación de Portugal en 1580 respondió más a la defensa de los derechos de herencia que a una política expansiva propiamente dicha; y la intervención en la guerra civil francesa o el episodio de la Armada Invencible contra Inglaterra (1588) tuvieron que ver más con la defensa de la integridad del patrimonio que con un espíritu de cruzada contra la herejía. A la larga, la dinastía prevaleció: se persiguió la reunificación de las dos ramas de la Casa de Habsburgo, mediante matrimonios cruzados entre los parientes de Madrid y Viena, y se fortaleció la solidaridad de las dos casas, preparando la futura articulación de una *Monarchia Universalis* que podía haber supuesto la restauración de la de Carlos V. La Casa de Habsburgo se perfilaba como una potencia hegemónica y sus pretensiones sentaron las bases que conducirían a la Guerra de los Treinta Años (1618-48).

Posesiones de los Austrias (Habsburgo de España)

Posesiones de los Habsburgo de Austria

Límite del Imperio

REINO DE INGLATERRA

DINAMARCA

PROVINCIAS UNIDAS

PAÍSES BAJOS ESPAÑOLES

LUXEMBURGO

POMERANIA

BRANDENBURGO

HESSEN

SAJONIA

SACRO IMPERIO

POLONIA

BOHEMIA

AUSTRIA

BAVIERA

TIROL

SUIZA

DUCADO DE MILÁN (1540)

FRANCO CONDADO

Charolais

SABOYA (1535)

VENECIA

PARMA

Lucca

TOSCANA

GÉNOVA

Estados de la Iglesia

Presidios de Toscana (1557)

HUNGRÍA

IMPERIO OTOMANO

REINO DE NÁPOLES

REINO DE SICILIA

Malta

REINO DE CERDEÑA

REINO DE TÚNEZ

REINO DE FRANCIA

REINO DE NAVARRA

Andorra

CORONA DE ARAGÓN

CORONA DE CASTILLA

REINO DE PORTUGAL (1580)

Algarve Ultra mar (port.)

Ceuta (port.)

Peñon de Vélez (Cast.)

Melilla (Cast.)

Mers el Kebir (Cast.)

Orán (Cast.)

TREMECÉN

REINO DE FEZ

REINO DE ARGEL

77

3.12 La crisis de 1640

Bajo Felipe III (1598-1621) la Monarquía Hispana comenzó a dar síntomas de declive. En 1624 el conde-duque de Olivares, valido de Felipe IV, elaboró un plan de recuperación (*Gran memorial*), por el cual propuso unas reformas severas: transformar la sociedad fomentando el comercio y la industria como actividades honorables para crear riqueza, y cambiar la composición plural de la Monarquía, uniéndola como *Reino de España* para adquirir fuerza. Con ello, la Monarquía recuperaría su vigor, restablecería su reputación y sería nuevamente temida y respetada en el mundo. Un plan de esta naturaleza provocó recelos en las elites periféricas, que se opusieron a su puesta en marcha. El 25 de julio de 1626 Olivares dio forma jurídica a su proyecto de *Unión de Armas*; pero apenas consiguió aumentar la participación no castellana, pues, reducido el proyecto a la propuesta de un sistema de defensa común, parecía el primer paso hacia la unidad jurídica y legislativa. El rei-

nado de Felipe IV (1621-65) no conoció un año de paz: la participación en la Guerra de los Treinta Años hundió la Hacienda castellana, que corría sola con el gasto bélico, y la crisis económica hizo cundir el descontento; en la década de 1630 estallaron revueltas antifiscales en Vizcaya y Évora; en la década siguiente, el descontento de las elites periféricas, a las que se quería forzar a contribuir, se tradujo en las rebeliones secesionistas de Cataluña y Portugal (1640). El cese de Olivares (1643) no pudo impedir la descomposición del sistema; algunos nobles encabezaron conjuras contra la Corona; y en Italia las revueltas de Nápoles y Sicilia (1647) agudizaron la crisis. Al final, la Monarquía Hispana no pudo avanzar en la necesaria reforma de sus estructuras. Estancada por la oposición interna, la depresión económica y el descalabro militar, ya no luchaba por la reputación, sino simplemente por sobrevivir; lo extraordinario fue que sólo prosperara la secesión portuguesa.

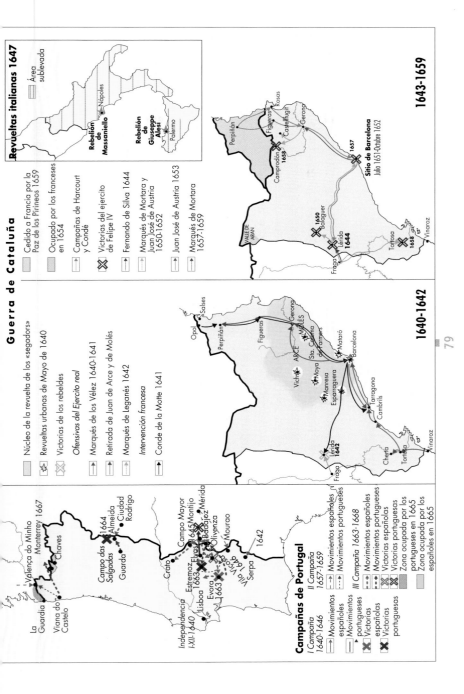

3.13 Chancillerías y audiencias (1371-1700)

La administración de justicia fue la función principal de los reyes. De hecho, en la tradición hispana jurisdicción equivalía a soberanía; y los monarcas católicos se interesaron poco por ser legisladores en solitario y mucho más por interpretar la ley. La *audiencia* era el acto por el que el rey oía a sus súbditos y sus jueces (*oidores*) examinaban la causa para que se dictase sentencia. Por delegación, el canciller o chanciller podía presidirla y dictaminar en nombre del rey, de modo que chancillería pasó a ser sinónimo de tribunal de justicia. En Aragón, los letrados que acompañaban al soberano formaban *audiencia* con él o con el vicecanciller. Enrique II de Castilla instituyó formalmente el tribunal de la Audiencia o Chancillería en Valladolid (1371), que se mantuvo más o menos sin cambios hasta la división efectuada por Isabel I en 1494. Por su parte, Fernando V dotó de composición fija a su tribunal catalán (1483) y más adelante fijó también los de

Nápoles (1504) y Valencia (1507). Carlos I reorganizó la Audiencia aragonesa fijándola en Zaragoza (1528) y extendió las audiencias a América (1526-49). Pero fue Felipe II quien desarrolló las audiencias y chancillerías, reformándolas y ampliando su número dentro y fuera de la Península: Quito (1563), Cerdeña (1564), Sevilla (1566), Las Palmas (1568) Sicilia (*Gran Corte*, 1569), Mallorca (1571). Así mismo, la fijación de la Corte en Madrid (1561), donde residían los consejos supremos territoriales, permitió crear un sistema judicial centrado y ramificado sobre el territorio. No obstante, las diferencias de composición, funcionamiento, competencias y jurisdicción (que era la otorgada al rey en cada dominio) hacen muy difícil hablar de homologación o centralización de las audiencias; más bien hubo un desarrollo o una mejora técnica de la gestión de la jurisdicción real en cada dominio, haciendo su justicia más visible y cercana a los súbditos.

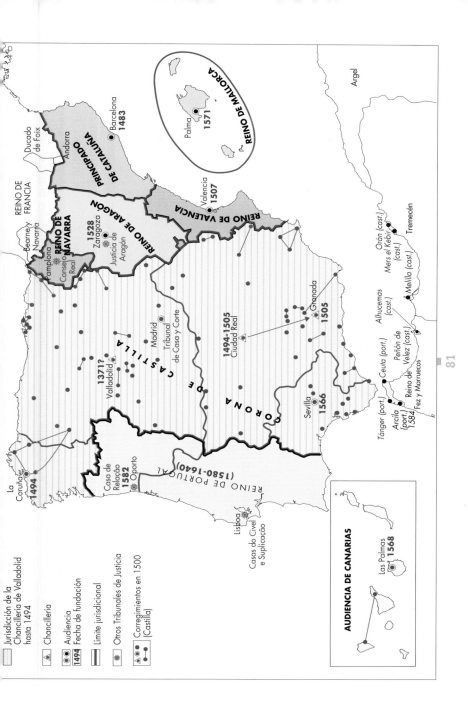

REINO DE MALLORCA

Palma **1571**

Argel

Barcelona **1483**

PRINCIPADO DE CATALUÑA

Andorra

Ducado de Foix

REINO DE FRANCIA

Bearne y Navarra

Pamplona

REINO DE NAVARRA

Consejo Real

Valencia **1507**

REINO DE VALENCIA

1528 Zaragoza

Justicia de Aragón

REINO DE ARAGÓN

Orán (cast.)

Mers el Kebir (cast.)

Tremecén

Melilla (cast.)

Alhucemas (cast.)

Peñón de Velez (cast.)

Ceuta (port.)

Reino de Fez y Marruecos

Granada **1505**

Madrid Tribunal de Casa y Corte

1494-1505 Ciudad Real

CORONA DE CASTILLA

1371? Valladolid

Sevilla **1566**

Tánger (port.)

Arcila (port.) **1584**

La Coruña **1494**

Casa de Relação **1582** Oporto

REINO DE PORTUGAL (1580-1640)

Lisboa

Casas do Civel e Suplicação

81

AUDIENCIA DE CANARIAS

Las Palmas **1568**

Jurisdicción de la Chancillería de Valladolid hasta 1494

Chancillería

Audiencia

1494 Fecha de fundación

Límite jurisdiccional

Otros Tribunales de Justicia

Corregimientos en 1500 (Castilla)

3.14 América en el siglo XVII

En la primera fase de la conquista (1492-1519), las colonias fueron parte de Castilla, administradas como prolongación de aquélla. Fue después, durante la segunda fase (1519-78) cuando se fundó la *Monarquía Indiana*, gobernándose aquellas tierras no como dependencias o provincias, sino como «reinos de Indias». Con la creación del Consejo de Indias en 1524, estos territorios adquirieron un *status* equivalente al del resto de los que componían la Monarquía. A la cabeza de cada uno de los reinos, Perú y Nueva España, estaban los virreyes, que cumplían la función del rey en el territorio; las áreas de frontera o de especial importancia militar como Cuba y Chile, eran gobernadas por capitanes generales. Dentro de cada reino existían *gobernaciones mayores* (ámbito jurisdiccional de una audiencia) y *gobernaciones menores* (a cargo de un gobernador que ejercía las funciones civiles, militares y judiciales). Los reinos eran comunidades políticas en sentido pleno, e

incluso podían reunirse «Cortes», como las celebradas en 1518 en La Española, estrechando los lazos entre la Corona y sus súbditos (nunca más volvieron a celebrarse, pero su convocatoria estaba recogida en las *Leyes de Indias*). Ahora bien, estos derechos parecían privativos de la «república de los españoles», mientras que la «república de los indios» quedaba en un estado de sumisión y tutela. Entre 1580 y 1640, cuando Portugal estuvo unido a la Monarquía Hispana, Brasil no se integró a la *Monarquía Indiana*: se mantuvo separado, administrado a través del *Conselho da Inda* (ubicado en Lisboa) y dividido en *capitanías* regidas por *ouvidores* y capitanes generales. Por otra parte, en el siglo XVII se produjo la colonización de otros pueblos europeos en las Antillas, Norteamérica y las Guayanas; de todos ellos, los holandeses fueron la principal amenaza para la Monarquía Hispana, pues estuvieron a punto de apoderarse completamente del Brasil.

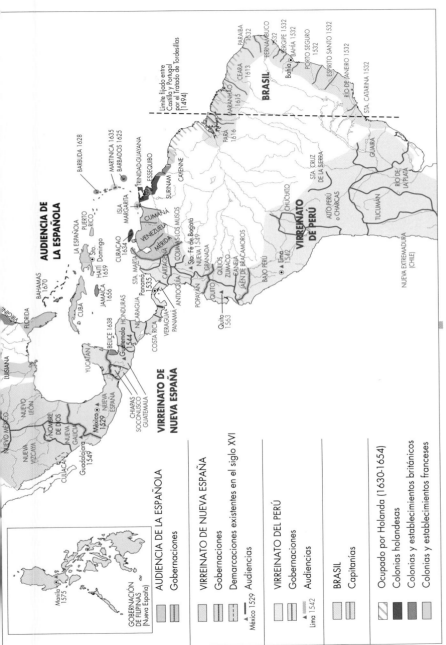

4.1 La Guerra de Sucesión Española (1701-1715)

El 1 de noviembre de 1700 falleció Carlos II, último monarca de la Casa de Austria. Su testamento designó como sucesor a Felipe de Borbón (el futuro Felipe V), nieto de Luis XIV de Francia, que era el monarca más poderoso del momento. El temor a la hegemonía francesa hizo que el Imperio, Holanda e Inglaterra apoyaran las pretensiones del archiduque Carlos de Habsburgo al trono hispano. Al comienzo, la Península Ibérica constituyó un escenario bélico secundario, siendo en Italia y los Países Bajos donde se desarrolló la guerra. En 1704 el almirante británico Rooke tomó Gibraltar, enclave estratégico para el paso entre el Atlántico y el Mediterráneo, y la Península cobró protagonismo. Desde 1705, los partidarios de uno y otro pretendientes en España —austracistas y felipistas— se enfrentaron violentamente, con lo que la guerra civil se superpuso al conflicto internacional. Los Borbones retrocedían en los frentes europeos y el estallido del conflicto peninsular

se percibió como la precipitación de su fracaso para obtener la corona hispana. Felipe V hubo de evacuar Madrid en 1706 y refugiarse en Burgos. Desde allí organizó una rápida contraofensiva que, en algo menos de dos años, le permitió recuperar el control sobre Castilla, donde disponía de mayor número de partidarios. Reducidos los austracistas al ámbito de la Corona de Aragón, en 1710 trataron de recuperar el terreno perdido, llegando el archiduque hasta Madrid. La rápida contraofensiva borbónica, con las victorias de Brihuega y Villaviciosa, dejó expedito el camino de Cataluña para Felipe V. Entre 1711 y 1713, el cambio de Gobierno en Inglaterra y la muerte del emperador José I decidieron la guerra en favor de la Casa de Borbón y sus partidarios. Aunque cesó el conflicto internacional, la guerra civil aún se mantuvo durante cerca de dos años: Barcelona capituló en septiembre de 1714 y Palma de Mallorca, el último reducto austracista, el 3 de julio de 1715.

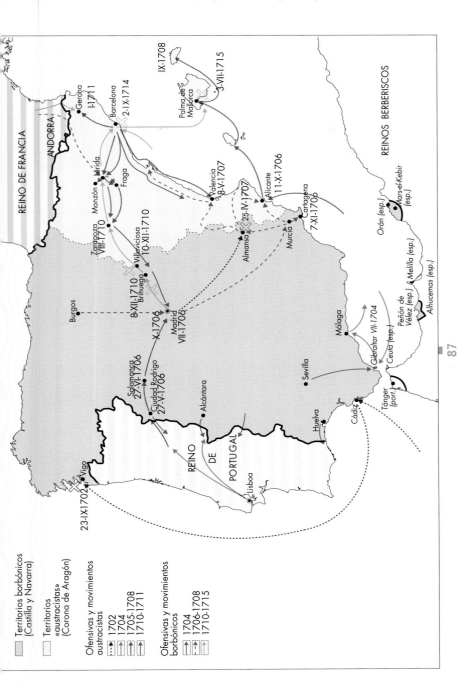

REINO DE FRANCIA

ANDORRA

IX-1708

3-VII-1715

Gerona
I-1711

Barcelona
2-IX-1714

Palma de
Mallorca

Lérida

Fraga

Monzón

Valencia
8-V-1707

Alicante
11-X-1706

Zaragoza
VIII-1710

Villaviciosa
10-XII-1710

Cartagena
7-XI-1706

8-XII-1710
Brihuega

Almansa
25-IV-1707

Murcia

X-1706

Madrid
VII-1706

Burgos

Salamanca
27-VI-1706

Ciudad Rodrigo
27-V-1706

Málaga

Sevilla

Gibraltar VII-1704

Alcántara

REINO

DE

PORTUGAL

Huelva

Cádiz

Lisboa

Tánger
(port.)

Ceuta (esp.)

Peñón de
Vélez (esp.)

Melilla (esp.)

Alhucemas (esp.)

Orán (esp.)

Mars-el-Kebir
(esp.)

REINOS BERBERISCOS

23-IX-1702
Vigo

Territorios borbónicos
(Castilla y Navarra)

Territorios
«austracistas»
(Corona de Aragón)

Ofensivas y movimientos
austracistas

1702
1704
1705-1708
1710-1711

Ofensivas y movimientos
borbónicos

1704
1706-1708
1710-1715

4.2 El reparto de la Monarquía Hispana (1713)

El 11 de abril de 1713 se firmó la Paz de Utrecht, cuyas cláusulas fueron completadas en Rastatt y Amberes. Por dichos tratados, que ponían fin a la Guerra de Sucesión Española, se reguló la herencia de la Corona de España (que pasó de los Habsburgo a los Borbones, pero sin posibilidad de unirla a sus dominios de Francia) y se impuso un sistema de equilibrio entre las potencias europeas. Dicho sistema era un ajuste de contrapesos para que ninguna potencia tuviera fuerza suficiente como para alcanzar la hegemonía, suponer una amenaza o desestabilizar el conjunto. En aras del equilibrio se produjo un reparto de los dominios de la Monarquía Hispana, que perdió sus posesiones en Italia y los Países Bajos y desapareció como potencia en el concierto europeo. En Utrecht primó el interés de las dinastías reinantes sobre el interés de los Estados; Luis XIV no dudó en dejar exhaustas las arcas de Francia y arrostrar importantes pérdidas territoriales en América para beneficiar a la Casa de Borbón y coronar a su nieto en España. El duque de Baviera había entrado en guerra de parte de los Borbones con la promesa del Reino de Cerdeña (que no obtuvo); mientras que el de Saboya entró en la alianza antiborbónica para obtener el Reino de Sicilia (que sí le fue concedido). Tales anhelos tenían que ver con el engrandecimiento de sus respectivas casas: los soberanos, como propietarios del espacio, se lo repartieron sin considerar la contigüidad de fronteras, la voluntad de los pueblos ni el respeto a las comunidades políticas existentes. En el siglo XVIII, pues, los conflictos bélicos serían, la mayor parte de las veces, litigios familiares, guerras de sucesión. El sistema de equilibrio, más que garantizar la paz, propició un estado de guerra continua en el que las casas reinantes aprovechaban cualquier oportunidad para adquirir nuevas posesiones, provocando contiendas que se saldaban con tratados de reparto.

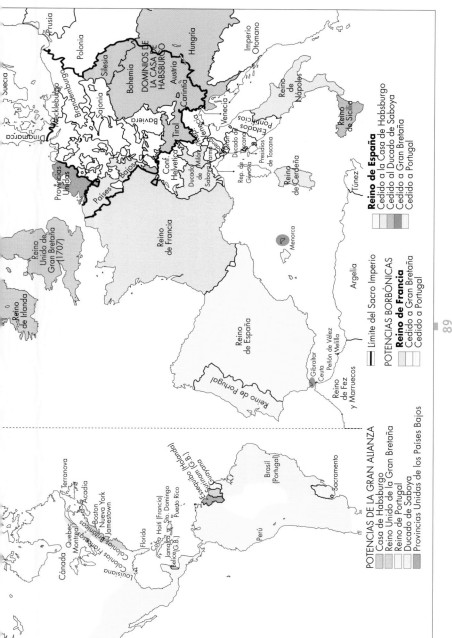

POTENCIAS DE LA GRAN ALIANZA

- Casa de Habsburgo
- Reino Unido de la Gran Bretaña
- Reino de Portugal
- Ducado de Saboya
- Provincias Unidas de los Países Bajos

Límite del Sacro Imperio

POTENCIAS BORBÓNICAS

Reino de Francia
- Cedido a Gran Bretaña
- Cedido a Portugal

Reino de España
- Cedido a la Casa de Habsburgo
- Cedido al Ducado de Saboya
- Cedido a Gran Bretaña
- Cedido a Portugal

Cánada
Terranova
Quebec
Montreal
Acadia
Boston
Nueva York
Jamestown
Colonias Francesas
Colonias Británicas
Florida
Louisiana
Jamaica (G.B.)
Cuba Haití (Francia)
Sto. Domingo
Belice (G.B.)
Puedo Rico
Estado (Holanda)
Surinam (G.B.)
Guayana
Brasil (Portugal)
Perú
Sacramento

Suecia
Dinamarca
Prusia
Polonia
Mecklemburgo
Brandemburgo
Silesia
Sajonia
Bohemia
DOMINIOS DE LA CASA DE HABSBURGO
Baviera
Austria
Carintia
Tirol
Hungría
Reino de Irlanda
Reino Unido de Gran Bretaña (1707)
Provincias Unidas
Países Bajos
Conf. Helvético
Reino de Francia
Ducado de Milán
Saboya
Ducado de Saboya
Rep. de Génova
Ducado de Toscana
Venecia
Estados Pontificios
Presidios de Toscana
Reino de Cerdeña
Reino de Nápoles
Reino de Sicilia
Imperio Otomano
Túnez
Argelia
Menorca
Reino de Portugal
Reino de España
Gibraltar
Ceuta
Peñón de Vélez
Melilla
Reino de Fez y Marruecos

89

4.3 El Reino de España: provincias e intendencias

Con la instauración de la Casa de Borbón se dieron los primeros pasos para transformar el gobierno por relaciones personales heredado de los Austrias en un gobierno por contigüidad territorial basado en la concepción de la autoridad monárquica como poseedora del espacio y capaz de encarnar por sí misma al Estado. Fue una ruptura respecto a la tradición (que confería al monarca una autoridad preeminente y coordinadora de poderes de distinta naturaleza); el territorio se hizo significativo como criterio de organización política, y el soberano pasó a considerarse dueño de una unidad territorial sometida y organizada bajo su autoridad, indiferenciada e integrada como Reino de España. El nuevo orden comenzó a prepararse durante la Guerra de Sucesión, cuando los *Decretos de Nueva Planta* de 1707-18 abolieron los fueros y libertades de los territorios «rebeldes». Desde entonces, los vínculos personales entre rey y súbditos se transformaron en vínculos terri-

toriales, de carácter administrativo y fiscal. Con la adopción del nuevo concepto de *provincia*, el espacio se articuló como medio para facilitar la relación entre el rey (Estado) y sus administrados. La provincia constituyó la demarcación jurisdiccional de los intendentes o delegados del monarca (de ahí que *provincia* sea sinónimo de *intendencia*), proyectándose el cambio en 1718, aunque su puesta en práctica no se produjo hasta 1748. Se trató de compartimentar de manera racional y uniforme el territorio en unidades homogéneas en extensión, contigüidad y organización (con una capital, sede de la Audiencia y de los gobiernos militar y civil); pero en realidad se superpusieron a lo existente, respetando las jurisdicciones antiguas (partidos castellanos, merindades vasco-navarras, corregimientos y veguerías catalanas...). No obstante, la Corona afirmó su dominio absoluto como creadora y organizadora del Estado, cuya sustancia era la voluntad de la dinastía.

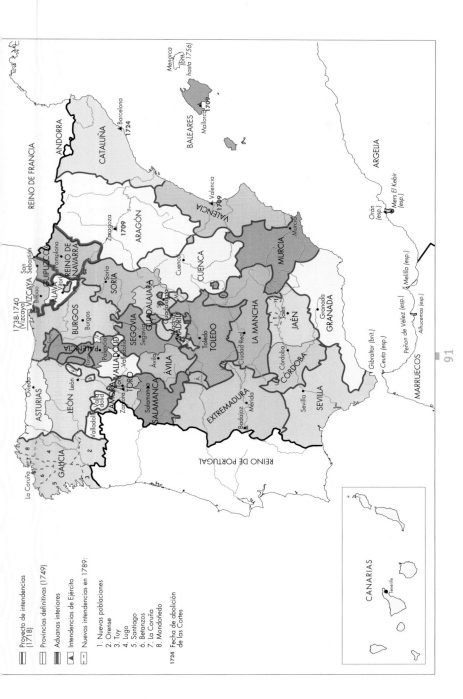

Proyecto de intendencias (1718)

Provincias definitivas (1749)

Aduanas interiores

Intendencias de Ejército

Nuevas intendencias en 1789:

1. Nuevas poblaciones
2. Orense
3. Tuy
4. Lugo
5. Santiago
6. Betanzos
7. La Coruña
8. Mondoñedo

1724 Fecha de abolición de las Cortes

REINO DE FRANCIA

ANDORRA

1738-1740 (Vizcaya)

VIZCAYA · San Sebastián
Bilbao · GUIPUZCOA
ÁLAVA · Vitoria · Pamplona
REINO DE NAVARRA

CATALUÑA
Barcelona · 1724

BALEARES
Menorca (brit.) hasta 1756
Mallorca · 1709

ASTURIAS
Oviedo

GALICIA
La Coruña

LEÓN
León

PALENCIA
Palencia

BURGOS
Burgos

SORIA
· Soria

VALLADOLID
· Valladolid

ZAMORA
· Zamora

TORO
· Toro

SEGOVIA
· Segovia

GUADALAJARA
· Guadalajara

MADRID
· Madrid

SORIA

ARAGÓN
· Zaragoza · 1709

VALENCIA
· Valencia · 1709

CUENCA
· Cuenca

SALAMANCA
· Salamanca

ÁVILA
· Ávila

TOLEDO
· Toledo

LA MANCHA
· Ciudad Real

MURCIA
· Murcia

EXTREMADURA
· Mérida · Badajoz

CÓRDOBA
· Córdoba

JAÉN
· Jaén

GRANADA
· Granada

SEVILLA
· Sevilla

REINO DE PORTUGAL

ARGELIA

Orán (esp.)
Mers El Kebir (esp.)
Peñón de Vélez (esp.)
Melilla (esp.)
Alhucemas (esp.)

Gibraltar (brit.)
Ceuta (esp.)

MARRUECOS

CANARIAS
· Tenerife

91

4.4 El Reino de España: chancillerías y audiencias

Las reformas borbónicas atendieron, sobre todo, a perfeccionar los instrumentos de acción del poder real para consolidar la patrimonialización del Estado; y, dentro de ellos, la administración de justicia era de especial importancia. Su reforma era necesaria para el desarrollo de la autonomía del Estado, desvinculando al soberano de la tradición y de los límites que ésta imponía a su autoridad. En 1707 las audiencias de Aragón y Valencia fueron transformadas en chancillerías, calcando la división castellana entre Valladolid y Granada; y, eliminado el Consejo Supremo de Aragón en 1707, pasaron a depender jurisdiccionalmente del Consejo Real de Castilla (1713). En 1711 la de Aragón se dividió en dos salas, civil y criminal, y lo mismo se hizo con la de Valencia en 1716; ambas recibieron la denominación de *audiencias*, igualándose al modelo de las audiencias de Cataluña y Mallorca, presididas —como las de Indias— por el capitán general (lo cual se hizo extensivo a las castellanas en 1800). En 1717 se creó la Audiencia de Asturias, con apelación excepcional a Valladolid; y en 1790 la Audiencia de Extremadura, con apelación a Granada en lo civil. El derecho castellano se extendió al conjunto de la Península y, para facilitar su uso, se inició en 1721 la reedición de la *Nueva Recopilación* (impresa en 1723), de la cual se hicieron sucesivas ediciones y reimpresiones posteriores. Navarra y las Provincias Vascongadas conservaron sus privilegios y quedaron constituidas como *provincias exentas*, manteniéndose la Sala de Vizcaya en la Chancillería de Valladolid, y el Consejo Real de Pamplona como máxima instancia judicial del Reino de Navarra. No obstante, el alcance de las reformas borbónicas no debe exagerarse: Cataluña mantuvo su derecho privado; los intendentes se preocuparon sobre todo de las cuestiones fiscales; y la justicia —materia que podían supervisar— se siguió impartiendo al modo tradicional.

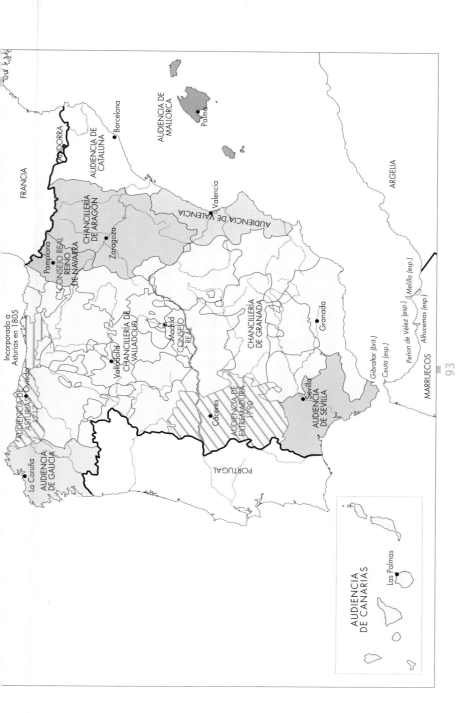

FRANCIA

ANDORRA

AUDIENCIA DE
CATALUÑA

Barcelona

AUDIENCIA DE
MALLORCA

Palma

CHANCILLERÍA
DE ARAGÓN

Zaragoza

CONSEJO REAL
REINO
DE NAVARRA

Pamplona

AUDIENCIA DE VALENCIA

Valencia

Incorporado a
Asturias en 1805

AUDIENCIA DE
ASTURIAS
1717

Oviedo

CHANCILLERÍA DE
VALLADOLID

Valladolid

Madrid

CONSEJO
REAL

CHANCILLERÍA
DE GRANADA

Granada

AUDIENCIA DE
GALICIA

La Coruña

AUDIENCIA DE
EXTREMADURA
1790

Cáceres

AUDIENCIA
DE SEVILLA

Sevilla

PORTUGAL

ARGELIA

Gibraltar (brit.)

Ceuta (esp.)

Peñón de Vélez (esp.)

Melilla (esp.)

Alhucemas (esp.)

MARRUECOS

AUDIENCIA
DE CANARIAS

Las Palmas

93

4.5 Las jurisdicciones en la España del «Antiguo Régimen» (1789)

En 1789 se publicó el *Nomenclátor* encargado por el marqués de Floridablanca, secretario de Estado y del Despacho de Carlos III, para conocer los recursos y la autoridad de la Corona en el país. A través de él se puede apreciar que la monarquía absoluta compartía el poder con otras instancias: la nobleza, las ciudades, la Iglesia... Las reformas efectuadas por los soberanos de la Casa de Borbón sirvieron para superponer su poder sobre la pluralidad de poderes existentes. Pese a haber limitado o eliminado el de los reinos, el monarca sólo disponía de plena autoridad sobre el *realengo* (su señorío), donde nombraba a las autoridades y administraba justicia; fuera de él, en los señoríos nobiliarios, eclesiásticos y de las órdenes militares, eran otras entidades o personas quienes ejercían dichas funciones. Los súbditos podían apelar al rey en última instancia, aunque en lugares donde otro señor disfrutaba del *mero y mixto imperio* esto era prácticamente imposible y existían tribunales señoriales facultados incluso para imponer la pena máxima. Sobre este espacio heterogéneo, la Corona trató de ampliar su capacidad de intervención, lo cual llevó a un duro enfrentamiento con la Iglesia y a la ruptura temporal de relaciones con la Santa Sede durante el reinado de Felipe V. El *regalismo*, que trataba de controlar y someter la jurisdicción eclesiástica a la Corona, se limitó a ejercer una mera supervisión en virtud del Concordato de 1753. Por otra parte, Carlos III intentó limitar la jurisdicción de los municipios en 1766, pero en ningún caso se llevó a cabo un intento de eliminación de las jurisdicciones señoriales. Éstas pervivieron como un componente esencial del «Antiguo Régimen» contra el que luchó la revolución liberal. El 6 de agosto de 1811, las Cortes de Cádiz decretaron la incorporación a la *nación* de todos los señoríos, plasmando por primera vez en la legislación española la unidad jurisdiccional del territorio.

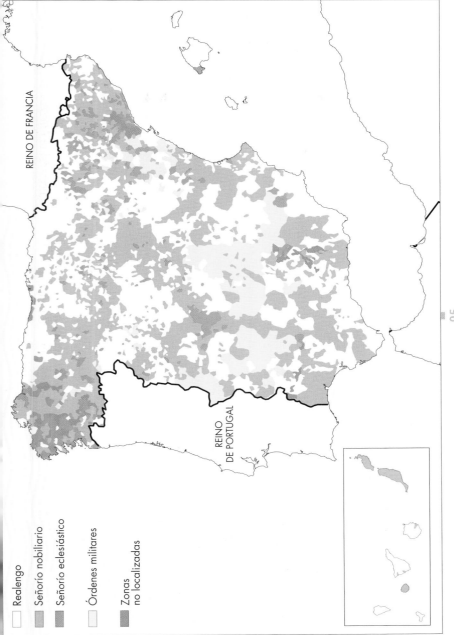

REINO DE FRANCIA

REINO DE PORTUGAL

Realengo

Señorío nobiliario

Señorío eclesiástico

Órdenes militares

Zonas no localizadas

4.6 América en el siglo XVIII

Con el advenimiento de los Borbones parecía que el modelo centralizado de inspiración francesa haría desaparecer la vieja estructura virreinal. Esto sólo sucedió en parte: así, mientras Cataluña, Aragón, Valencia y Mallorca fueron reducidas a provincias y pasaron a ser gobernadas como tales, en América sobrevivió la *Monarquía Indiana*. El cambio más significativo consistió en la creación de dos nuevos reinos, que nacieron para afianzar la posesión de territorios de «frontera» que habían adquirido un amplio desarrollo y en los que la colonización estaba bien asentada. En 1717, sobre las demarcaciones de la Audiencia de Santa Fe y la Presidencia del Nuevo Reino de Granada, se creó el Virreinato de Nueva Granada. En 1777 se fundó el Virreinato de La Plata, desgajándolo del Perú por razones funcionales y administrativas. Bajo Carlos III se decidió extender el régimen provincial de la Península a las colonias: en 1764 se creó la primera intendencia en Cuba, y con los informes del visitador Gálvez (1768) la reforma tomó cuerpo, extendiéndose en 1776 a la Luisiana (territorio de colonización francesa, que pasó temporalmente a manos de España en 1763-83); la instrucción de 1782 suministró la base con la que crear intendencias en La Plata (1782), Perú (1784), Nueva España (1786) y Chile (1787). Como se puede apreciar, se trató de una labor discontinua, realizada sin un plan prefijado y en el que no se actuó de forma homogénea (el Reino de Nueva Granada quedó totalmente al margen de la reorganización provincial). Además, los intendentes se superpusieron a las instituciones preexistentes, colisionando con la autoridad de audiencias, corregidores y cabildos. Su función primordial era la vigilancia y la defensa de la jurisdicción real, estando especialmente habilitados para la asunción de competencias de justicia, policía y guerra. Las reformas borbónicas incluyeron también la liberalización parcial del comercio entre América y España (1778).

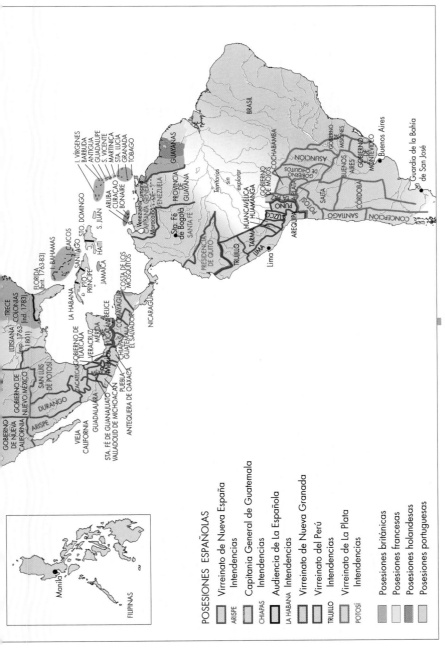

POSESIONES ESPAÑOLAS

| | Virreinato de Nueva España |
| ARISPE | Intendencias |

| | Capitanía General de Guatemala |
| CHIAPAS | Intendencias |

| | Audiencia de La Española |
| LA HABANA | Intendencias |

| | Virreinato de Nueva Granada |
| TRUJILLO | Intendencias |

| | Virreinato del Perú |
| TRUJILLO | Intendencias |

| | Virreinato de La Plata |
| POTOSÍ | Intendencias |

Posesiones británicas
Posesiones francesas
Posesiones holandesas
Posesiones portuguesas

FILIPINAS

Manila

GOBIERNO DE NUEVA CALIFORNIA

VIEJA CALIFORNIA

GOBIERNO DE NUEVO MÉXICO

DURANGO

ARISPE

SAN LUIS DE POTOSÍ

ZACATECAS

GUADALAJARA

GOBIERNO DE GUANAJUATO

STA. FÉ DE GUANAJUATO

VALLADOLID DE MICHOACÁN

ANTEQUERA DE OAXACA

PUEBLA

GOBIERNO DE TLAXCALA

VERACRUZ

MÉXICO

MÉRIDA

YUCATÁN

BELICE

CHIAPAS

GUATEMALA

EL SALVADOR

NICARAGUA

COSTA DE LOS MOSQUITOS

LA HABANA

LUISIANA (esp. 1763 ind. 1801)

TRECE COLONIAS (ind. 1783)

FLORIDA (brit. 1763-83)

BAHAMAS

I. CAICOS

STO. DOMINGO

SANTIAGO

PTO. PRÍNCIPE

HAITÍ

JAMAICA

I. VÍRGENES
BARBUDA
ANTIGUA
GUADALUPE
S. VICENTE
MARTINICA
STA. LUCÍA
GRANADA
TOBAGO

ARUBA
CURAÇAO
BONAIRE

S. JUAN

Venezuela CAPITANÍA GENERAL DE Maracaibo

VENEZUELA

PROVINCIA DE GUAYANA

GUAYANAS

Sta. Fé de Bogotá

SANTA FÉ

PRESIDENCIA DE QUITO

Territorios sin explorar

BRASIL

TRUJILLO

JAUJA

TARMA

LIMA

Lima

HUANCAVÉLICA

HUAMANGA

CUZCO

AREQUIPA

PUNO

GOBIERNO DE MOJOS

COCHABAMBA

GOBIERNO DE CHIQUITOS

ASUNCIÓN

GOBIERNO DE MISIONES

LA PLATA

POTOSÍ

SALTA

SANTIAGO

CÓRDOBA

CONCEPCIÓN

BUENOS AIRES

GOBIERNO DE MONTEVIDEO

Buenos Aires

Guardia de la Bahía de San José

4.7 División provincial de Miguel Cayetano Soler (1799-1805)

Las 32 provincias en las que quedó dividida España entre 1717 y 1789 eran de muy desigual superficie; además, mantenían incólume la fisonomía del espacio procedente de la Monarquía de los Austrias, lo cual era demostrativo de los límites de las reformas efectuadas para romper con el marco tradicional. Los antiguos reinos de la Corona de Aragón se habían transformado en provincias; y en la Corona de Castilla persistía la discontinuidad territorial, con un alto número de enclaves y de provincias fragmentadas. Bajo Carlos III se concibió la idea de dividir el espacio en porciones regulares, diseñando provincias con dimensiones similares. Cabarrús imaginó un modelo ideal de provincias uniformes (de 30 leguas cuadradas divididas en nueve distritos de diez leguas), pero ni este ni otros proyectos se llevaron a cabo. A finales de siglo, ya bajo Carlos IV, se hizo una reforma que recogía parcialmente las aspiraciones ilustradas de uniformidad, equilibrio y modera-

ción, como fue la del secretario de Hacienda Miguel Cayetano Soler (1799). Se mantuvo parcialmente la inercia de la situación precedente, pues los territorios de la Corona de Aragón prácticamente mantuvieron su integridad (salvo Valencia) y siguieron existiendo enclaves; pero la reforma significó un avance en la ordenación del territorio: se segregaron seis provincias costeras (Cádiz, Málaga, Alicante, Cartagena, Santander y Asturias), se reorganizaron las provincias del centro en demarcaciones regulares con límites contiguos (Madrid, Guadalajara, Segovia y Ávila) y desapareció la provincia de Toro al ordenarse el espacio en la submeseta norte. En este aspecto, como en otros (por ejemplo, la desamortización de bienes eclesiásticos, iniciada también en tiempos de Carlos IV), las reformas racionalizadoras del despotismo ilustrado anticiparon el programa de la revolución liberal, siguiendo siempre las propuestas y necesidades del ramo de Hacienda.

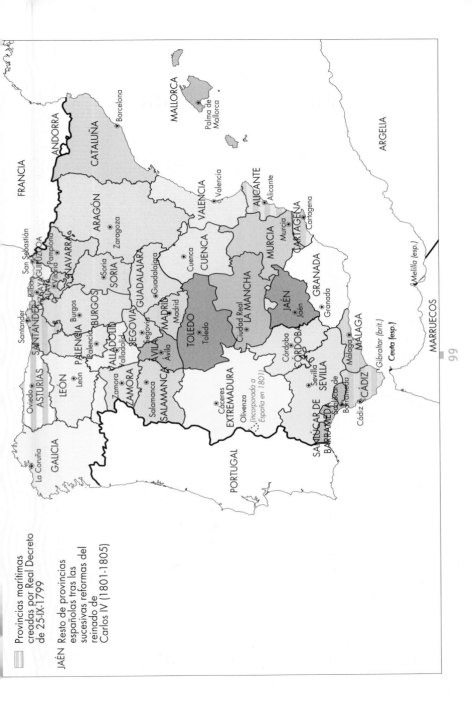

Provincias marítimas creadas por Real Decreto de 25-IX-1799

JAÉN Resto de provincias españolas tras las sucesivas reformas del reinado de Carlos IV (1801-1805)

FRANCIA

ANDORRA

CATALUÑA

Barcelona

MALLORCA

Palma de Mallorca

ARGELIA

ARAGÓN

Zaragoza

GUIPÚZCOA

ÁLAVA

VIZCAYA

San Sebastián

Bilbao

Vitoria

NAVARRA

Pamplona

SORIA

Soria

VALENCIA

Valencia

ALICANTE

Alicante

Santander

SANTANDER

ASTURIAS

Oviedo

GALICIA

La Coruña

BURGOS

Burgos

PALENCIA

Palencia

LEÓN

León

CUENCA

Cuenca

MURCIA

Murcia

CARTAGENA

Cartagena

GUADALAJARA

Guadalajara

SEGOVIA

Segovia

MADRID

Madrid

GRANADA

Granada

VALLADOLID

Valladolid

ZAMORA

Zamora

ÁVILA

Ávila

SALAMANCA

Salamanca

TOLEDO

Toledo

LA MANCHA

Ciudad Real

JAÉN

Jaén

Melilla (esp.)

MARRUECOS

EXTREMADURA

Cáceres

Olivenza (Incorporada a España en 1801)

CÓRDOBA

Córdoba

SEVILLA

Sevilla

MÁLAGA

Málaga

Gibraltar (brit.)

Ceuta (esp.)

CÁDIZ

Cádiz

SANLÚCAR DE BARRAMEDA

Sanlúcar de Barrameda

PORTUGAL

99

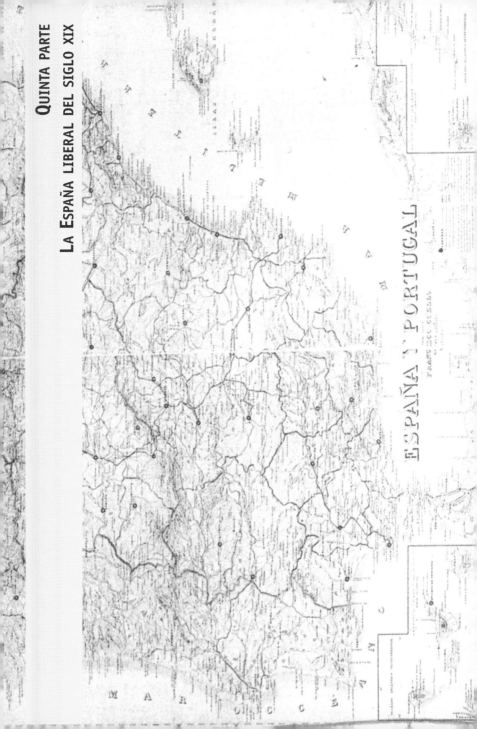

QUINTA PARTE

LA ESPAÑA LIBERAL DEL SIGLO XIX

ESPAÑA Y PORTUGAL

5.1 Guerra de la independencia (1808-1814)

La invasión de España por los franceses en 1808 pretendía incorporar la Península al sistema imperial concebido por Napoleón en el continente europeo: el país mantendría su independencia, pero de hecho sería un Estado satélite con un hermano de Napoleón —José I Bonaparte— como rey. José I y su gobierno de *afrancesados* (españoles colaboracionistas) emprendieron una política de reformas moderadas inspiradas en el modelo francés: limitaron el autoritarismo monárquico con una carta otorgada (la *Constitución de Bayona* de 1808) y dividieron el territorio en prefecturas de tamaño homogéneo para racionalizar la administración. Pero se vieron atrapados entre dos incomprensiones: por un lado, Napoleón les negó la autonomía y los recursos que necesitaban, ignorando los intereses españoles (la anexión a Francia de los territorios al norte del Ebro constituyó una prueba palpable de esta falta de miramientos); por otro lado, la ocupación resultó inaceptable

para la mayoría de los españoles, que sustentaron la insurrección contra los Bonaparte desde 1808. Las improvisadas autoridades españolas, surgidas del movimiento insurreccional, reclamaron la vuelta de Fernando VII (prisionero de Napoleón) y pusieron en marcha un proceso de reforma política netamente revolucionario: asediadas en Cádiz, convocaron unas Cortes, que promulgaron una Constitución de inspiración liberal (1812). En el resto del territorio, después de un primer intento de resistencia militar (batalla de Bailén, 1808), los españoles tuvieron que limitarse a hostigar al enemigo con una lucha de guerrillas, antes de apoyar la contraofensiva británica que, partiendo de Portugal, persiguió a los franceses hasta la frontera de los Pirineos, venciéndolos en los Arapiles (1812), Vitoria y San Marcial (1813). Derrotado Napoleón, Fernando VII recuperó el Trono en 1814 y se apresuró a anular la Constitución y las reformas de las Cortes de Cádiz.

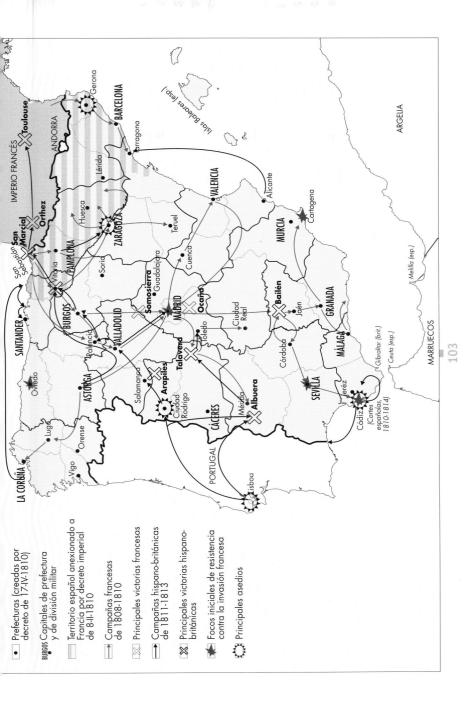

Leyenda:

- Prefecturas (creadas por decreto de 17-IV-1810)
- **BURGOS** Capitales de prefectura y de división militar
- Territorio español anexionado a Francia por decreto imperial de 8-II-1810
- Campañas francesas de 1808-1810
- Principales victorias francesas
- Campañas hispano-británicas de 1811-1813
- Principales victorias hispano-británicas
- Focos iniciales de resistencia contra la invasión francesa
- Principales asedios

IMPERIO FRANCÉS

ANDORRA

PORTUGAL

ARGELIA

MARRUECOS

Islas Baleares (esp.)

Gibraltar (brit.)
Ceuta (esp.)
Melilla (esp.)

Cortes españolas, 1810-1814)

Localidades: Gerona, Barcelona, Tarragona, Lérida, Huesca, Zaragoza, Teruel, Valencia, Alicante, Cartagena, Murcia, Granada, Málaga, Jeréz, Cádiz, Córdoba, Sevilla, Mérida, Cáceres, Ciudad Rodrigo, Salamanca, Astorga, Orense, Vigo, Lugo, Oviedo, La Coruña, Santander, Burgos, Palencia, Valladolid, Vitoria, Pamplona, San Sebastián, Orthez, Toulouse, San Marcial, Soria, Guadalajara, Cuenca, Madrid, Somosierra, Ocaña, Ciudad Real, Toledo, Bailén, Jaén, Talavera, Arapiles, Albuera, Lisboa

103

5.2 Proyectos de división provincial de las Cortes de Cádiz (1813-1814)

El intento de dotar a España de un régimen liberal (reflejado en la obra de las Cortes de Cádiz y en la Constitución de 1812) llevaba aparejada la racionalización de todos los aspectos de la actuación del Estado. La pretensión de los revolucionarios era romper con el pasado, estableciendo las instituciones más eficaces a la luz de la razón y sin aceptar condicionantes de la historia, la tradición o la costumbre. La organización del territorio era crucial, pues las divisiones que se establecieran condicionarían la eficacia futura de la administración, así como las posibilidades de superar las identidades locales forjando una comunidad política nacional. Tras un primer proyecto de 1812 (que respetaba los antiguos reinos de la Monarquía), la Regencia encargó del tema al marino y cartógrafo mallorquín Felipe Bauzá, que realizó un nuevo proyecto en 1813. El problema del desigual tamaño de los territorios históricos se solucionaba creando 29 provin-

cias o gobernaciones de dos categorías: las mayores o *de primer orden*, que incluían en su seno *provincias subalternas*; y las *de segundo orden*, que por su menor tamaño no necesitaban subdivisión. El diputado Miguel de Lastarría propuso en 1814 elevar el número de provincias a 37; y el Consejo de Estado sugirió que hubiera una sola categoría de provincias, convirtiendo en independientes a todas las *subalternas*. Pero el golpe de Estado de aquel mismo año acabó con la experiencia constitucional e interrumpió la discusión del proyecto. Lejos de pretender una ruptura total, los liberales españoles habían buscado un compromiso entre la racionalidad y las tradiciones históricas; habían tenido en cuenta los precedentes reformistas del reinado de Carlos IV y del gobierno *afrancesado* de José I, más que la división departamental de la Revolución Francesa; y su proyecto sería retomado cuando se restableciera el régimen constitucional en 1820-23.

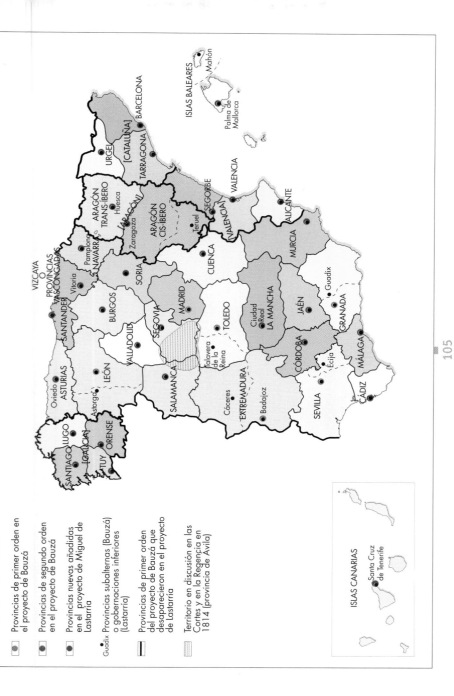

Provincias de primer orden en el proyecto de Bauzá

Provincias de segundo orden en el proyecto de Bauzá

Provincias nuevas añadidas en el proyecto de Miguel de Lastarria

Guadix • Provincias subalternas (Bauzá) o gobernaciones inferiores (Lastarria)

Provincias de primer orden del proyecto de Bauzá que desaparecieron en el proyecto de Lastarria

Territorio en discusión en las Cortes y en la Regencia en 1814 (provincia de Ávila)

ISLAS CANARIAS

Santa Cruz de Tenerife

VIZCAYA O PROVINCIAS VASCONGADAS

GALICIA
SANTIAGO
LUGO
ORENSE
TUY
ASTURIAS
Oviedo
Astorga
LEÓN
SANTANDER
Vitoria
BURGOS
NAVARRA
Pamplona
ARAGÓN TRANS-IBERO
Huesca
[ARAGÓN]
Zaragoza
URGEL
[CATALUÑA]
BARCELONA
TARRAGONA
VALLADOLID
SORIA
ARAGÓN CIS-IBERO
Teruel
SEGORBE
VALENCIA
VALENCIA
SALAMANCA
SEGOVIA
MADRID
CUENCA
ALICANTE
MURCIA
Cáceres
EXTREMADURA
Talavera de la Reina
TOLEDO
Ciudad Real
LA MANCHA
JAÉN
Guadix
GRANADA
Badajoz
CÓRDOBA
Écija
MÁLAGA
SEVILLA
CÁDIZ

ISLAS BALEARES
Mahón
Palma de Mallorca

5.3 División provincial del Trienio Constitucional (1822)

El restablecimiento del régimen constitucional durante el trienio 1820-23 permitió retomar el programa de reformas liberales interrumpido en 1814. La división provincial había adquirido una importancia especial como símbolo del cambio y como palanca para mover los «obstáculos» que se oponían al progreso de la nación. El Gobierno encomendó la tarea a Felipe Bauzá (para enlazar con el proyecto de 1813) y al ingeniero José Agustín de Larramendi. Las Cortes aprobaron su proyecto con algunas modificaciones y lo promulgaron por decreto de 27 de enero de 1822. El resultado fue la división del territorio español en 50 provincias peninsulares y dos insulares, dando preferencia a las cadenas montañosas como líneas de separación. Las provincias tenían todas la misma categoría institucional (con una *diputación* electiva y un *jefe político*, que era el agente de la administración central en su territorio), una configuración territorial compacta (aca-

bando con los enclaves y con los entrantes y salientes que caracterizaban a las circunscripciones del Antiguo Régimen) y se había procurado que fueran homogéneas en tamaño, población y recursos (lo que no se pudo conseguir completamente por las contradicciones entre los tres objetivos y por la voluntad de respetar algunos límites históricos). La nueva división se implantó sin encontrar resistencias, a pesar de que incluía novedades muy significativas: por ejemplo, se dividían en cuatro provincias reinos como Valencia, Aragón, Galicia y Cataluña; y se creaban *ex novo* provincias como Ávila, Villafranca del Bierzo, Chinchilla, Huelva, Almería, Lérida, Calatayud o Játiva. Su vigencia fue breve, debido a la restauración del absolutismo en 1823, pero la necesidad de racionalizar la organización territorial se abrió paso y, finalmente, una nueva división provincial, inspirada directamente en la de 1822, se implantaría tras la muerte de Fernando VII (1833).

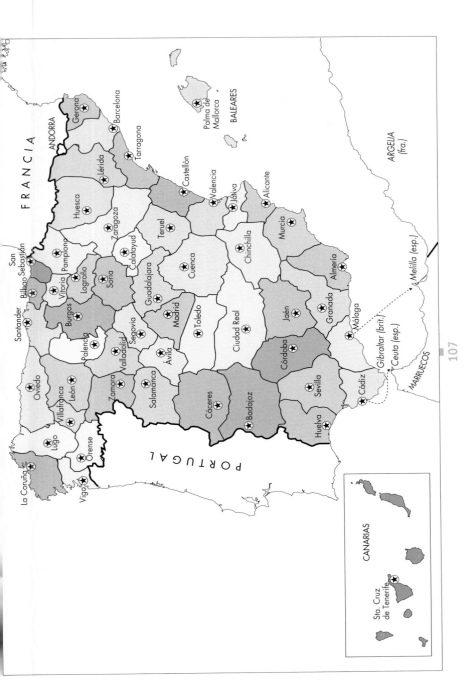

5.4 Emancipación de las colonias hispanoamericanas

El vacío de poder creado en la metrópoli por la invasión francesa de 1808 proporcionó la ocasión para la sublevación de las colonias americanas sometidas al dominio español desde el siglo XVI. Fue una revolución protagonizada por los criollos (americanos descendientes de españoles), mientras que los indígenas —que constituían la mayor parte de la población— permanecieron al margen en general (con la excepción de México, donde una primera insurrección popular de base indígena, encabezada por Hidalgo en 1810, fue sofocada por el ejército). La lucha por la independencia se desarrolló por separado en cada colonia, a partir de la insurrección de *juntas* locales en 1809-10. Para 1815-17, las fuerzas *realistas* (españolas) habían recuperado el control de América (excepto en el Río de la Plata). Sería una segunda fase de la contienda, entre 1817 y 1824, la que obligara a España a abandonar sus posesiones continentales (ya que el ejército destinado a reprimir la insu-

rrección se negó a embarcar hacia América y protagonizó el pronunciamiento que restableció el régimen constitucional en España en 1820). Las posesiones españolas en América quedaron limitadas a las islas de Cuba y Puerto Rico, merced a un doble avance militar de Bolívar (desde Venezuela) y de San Martín (desde el Río de la Plata) hacia el último bastión de los españoles en Perú, donde se produjo la batalla de Ayacucho (1824). En los años siguientes España iría reconociendo a las nuevas repúblicas independientes, cuya configuración territorial reflejaba paradójicamente la división administrativa de la Hispanoamérica colonial. El sueño unitario de Bolívar se desvaneció; e incluso los proyectos federales puestos en marcha se desmembraron poco después: la *Gran Colombia* (que en 1830 se dividió en Colombia, Venezuela y Ecuador) y las *Provincias Unidas de Centroamérica* (Guatemala, Honduras, Nicaragua, Costa Rica y El Salvador, desgajadas en 1839).

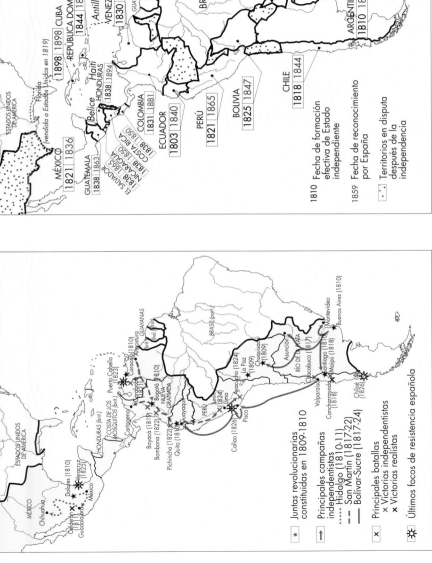

Mapa superior (Estados independientes):

ESTADOS UNIDOS DE AMÉRICA

Florida (vendida a Estados Unidos en 1819)

MÉXICO 1821 1836

GUATEMALA 1838 1863
EL SALVADOR 1838 1865
NICARAGUA 1838 1850
COSTA RICA 1838 1850

CUBA 1898 1898
REPÚBLICA DOMINICANA 1844 1855
Haití
HONDURAS 1838 1894
Belice
Antillas
VENEZUELA 1830 1845
GUAYANAS
COLOMBIA 1831 1881
ECUADOR 1803 1840
PERÚ 1821 1865
BOLIVIA 1825 1847
BRASIL
PARAGUAY 1811 1880
URUGUAY 1828 1870
CHILE 1818 1844
ARGENTINA 1810 1859

Leyenda:

1810 Fecha de formación efectiva de Estado independiente

1859 Fecha de reconocimiento por España

Territorios en disputa después de la independencia

Mapa inferior (Guerras de independencia):

ESTADOS UNIDOS DE AMÉRICA

MÉXICO
Chihuahua
Dolores (1810)
Calderón (1811)
Guadalajara
Veracruz (1825)
México

HONDURAS (brit)
COSTA DE LOS MOSQUITOS (brit)
Cartagena
Puerto Cabello
Caracas (1810)
Angostura
Maracaibo
Bogotá (1810)
NUEVA GRANADA
Boyacá (1819)
Bombona (1822)
Pichincha (1822)
Quito (1810)
Guayaquil
GUAYANAS (hol/fra)
BRASIL (port)
PERÚ
Junín (1824)
Lima
Ayacucho (1824)
Callao (1826)
Pisco
La Paz
Chuquisaca (1809)
Asunción
RÍO DE LA PLATA
Montevideo
Buenos Aires (1810)
Chacabuco (1817)
Valparaíso
Concharrayada (1818)
Santiago (1818)
Maipú (1818)
Chiloé (1826)

Leyenda:

★ Juntas revolucionarias constituidas en 1809-1810

↑ Principales campañas independentistas
...... Hidalgo (1810-11)
- - - San Martín (1817-22)
— Bolívar-Sucre (1817-24)

Principales batallas
✕ Victorias independentistas
✕ Victorias realistas

✸ Últimos focos de resistencia española

5.5 División provincial de Javier de Burgos (1833)

Al morir Fernando VII (1833) se abrió el proceso que condujo a la implantación definitiva del régimen constitucional. El gobierno de Cea Bermúdez, que presidió la transición ya bajo la regencia de la reina María Cristina, adoptó algunas medidas para atraerse a la opinión liberal. La más importante fue la división provincial, que se había convertido en un símbolo de las aspiraciones modernizadoras: dividir el país en circunscripciones uniformes parecía la mejor garantía para que la administración aplicara con eficacia las medidas del Gobierno en todo el territorio. La división ha recibido el nombre del ministro que la promulgó —Javier de Burgos—, aunque fue resultado de un largo trabajo preparatorio en los últimos años del absolutismo. Se basaba en la de 1822, sin más que cambiar dos capitales (Vigo por Pontevedra y Chinchilla por Albacete) y suprimir tres provincias (Villafranca, Calatayud y Játiva) hasta dejar la cifra en 49. En los años posteriores se añadió la subdivisión en partidos judiciales (1834-41) y se hicieron algunas correcciones fronterizas menores, pero, en general, la división provincial ha gozado de una gran estabilidad, pues no ha habido más innovación que la división en dos de las islas Canarias (1927). La división de 1833, base de la organización administrativa de la España contemporánea, surgió del compromiso entre las necesidades de una administración racional y la voluntad de respetar las identidades regionales históricas: se simplificaron los límites (aunque algunos enclaves han sobrevivido hasta nuestros días) y los reinos del Antiguo Régimen fueron respetados en general (si bien en 1851 se agregó a la provincia de Valencia un vasto territorio tradicionalmente castellano). Ello no evitó que los movimientos regionalistas y nacionalistas posteriores se cebaran en la crítica de la división provincial, identificada con los vicios del Estado centralista.

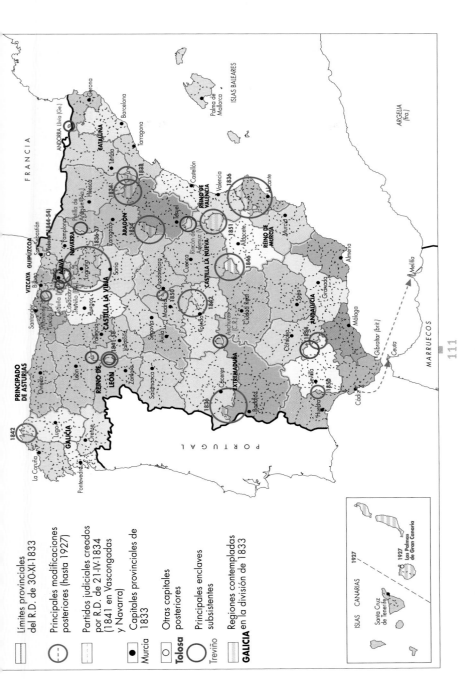

Límites provinciales del R.D. de 30-XI-1833

Principales modificaciones posteriores (hasta 1927)

Partidos judiciales creados por R.D. de 21-IV-1834 (1841 en Vascongadas y Navarra)

Murcia ● Capitales provinciales de 1833

Tolosa ○ Otras capitales posteriores

Treviño ○ Principales enclaves subsistentes

GALICIA Regiones contempladas en la división de 1833

FRANCIA

PRINCIPADO DE ASTURIAS

VIZCAYA GUIPÚZCOA

CATALUÑA

NAVARRA

ÁLAVA

ARAGÓN

REINO DE VALENCIA

REINO DE LEÓN

CASTILLA LA VIEJA

CASTILLA LA NUEVA

REINO DE MURCIA

EXTREMADURA

ANDALUCÍA

GALICIA

PORTUGAL

FRANCIA

MARRUECOS

ISLAS BALEARES

ARGELIA (fra.)

ANDORRA Llivia (Ge.)

Santa Cruz de Tenerife

ISLAS CANARIAS 1927

Las Palmas de Gran Canaria 1927

111

5.6 Primera Guerra Carlista (1833-1840)

La instauración del régimen constitucional hubo de hacer frente a la resistencia de los partidarios del absolutismo, que se agruparon en torno al hermano de Fernando VII, don Carlos. Éste se sublevó contra la regente María Cristina, que defendía el trono de su hija —Isabel II— con el apoyo de los liberales. La consiguiente guerra civil duró siete años, durante los cuales el Gobierno central se mantuvo en manos de las fuerzas constitucionales (*isabelinos* o *cristinos*), mientras que los absolutistas (*carlistas*) practicaban una lucha guerrillera y se hacían fuertes en las zonas rurales del norte (Navarra y País Vasco) y del Maestrazgo. Las fuerzas gubernamentales siguieron una estrategia de contención mientras movilizaban los recursos del Estado. Los carlistas, por su parte, intentaron tomar alguna ciudad importante (fracasando en el asedio de Bilbao) y lanzaron expediciones militares para llevar la lucha fuera de los territorios que controlaban. La expe-

dición de Guergué (1835) consiguió crear un nuevo foco carlista en el interior de Cataluña; la de Gómez (1836) recorrió la Península cosechando derrotas parciales y sin obtener el apoyo popular que esperaba; pero la más importante fue la *Expedición Real* encabezada por el pretendiente en 1837, que le llevó hasta las puertas de Madrid. Desmoralizados por sus fracasos, las divisiones internas y la falta de recursos, una parte de los jefes carlistas —encabezados por Maroto— llegaron a un acuerdo con el general Espartero (jefe de las fuerzas gubernamentales) para poner fin a la guerra: por el *Convenio de Vergara* (1839) entregaron las armas y admitieron la monarquía constitucional de Isabel II, a cambio de la liberación de prisioneros, la integración en el ejército español y la promesa de respetar los fueros. Don Carlos huyó al exilio, mientras Espartero liquidaba la resistencia de Cabrera en el Maestrazgo y Cataluña (1840).

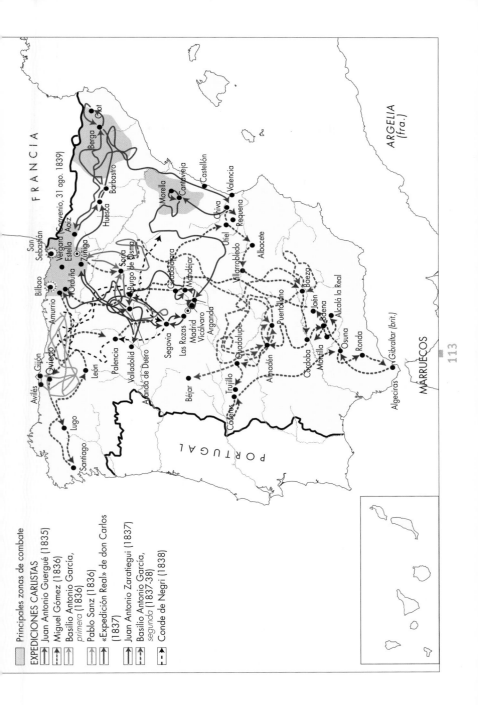

Principales zonas de combate

EXPEDICIONES CARLISTAS
Juan Antonio Guergué (1835)
Miguel Gómez (1836)
Basilio Antonio García, *primera* (1836)
Pablo Sanz (1836)
«Expedición Real» de don Carlos (1837)
Juan Antonio Zaratiegui (1837)
Basilio Antonio García, *segunda* (1837-38)
Conde de Negri (1838)

FRANCIA

Gijón
Avilés
Oviedo
Lugo
Santiago
León
Palencia
Valladolid
Aranda de Duero
Béjar
Cáceres
Trujillo
Guadalupe
Almadén
Puertollano
Córdoba
Montilla
Baena
Jaén
Osuna
Ronda
Alcalá la Real
Baeza
Algeciras
Gibraltar (brit.)

Amurrio
Orduña
Bilbao
San Sebastián
Estella
Zúñiga
Aoiz
Vergara (convenio, 31 ago. 1839)
Huesca
Barbastro
Berga
Olot
Morella
Cantavieja
Castellón
Valencia
Chiva
Requena
Utiel
Villarrobledo
Albacete
Soria
Burgo de Osma
Guadalajara
Mondéjar
Segovia
Las Rozas
Madrid
Vicálvaro
Arganda

PORTUGAL

ARGELIA (fra.)

MARRUECOS

113

5.7 Elecciones del reinado de Isabel II (1834)

Los primeros pasos hacia la liberalización política los dio María Cristina de la mano de los *moderados*, que constituían el partido más conservador de la antigua «familia» liberal. Presidiendo el Gobierno Francisco Martínez de la Rosa, la Corona promulgó un texto que apenas era una Constitución: el *Estatuto Real* de 1834 era más bien una carta otorgada que regulaba el funcionamiento de un parlamento con dos cámaras (*Estamento de Procuradores y Estamento de Próceres*), a las cuales se atribuían poderes legislativos muy modestos. Aquella «monarquía limitada» no colmaba las aspiraciones de los verdaderos liberales (los *progresistas*), pero al menos permitió celebrar unas primeras elecciones (con un sistema de sufragio indirecto y censitario muy restringido). Como en el resto de Europa, los partidos eran aún agrupaciones de notables sin afiliados y sin ideología política definida; funcionaban por la vinculación personal a determinados líderes y a sus periódicos. La disciplina de partido era tan débil que más de la mitad de los procuradores fluctuaban en sus posiciones a favor o en contra del Gobierno. Durante todo el reinado de Isabel II (hasta 1868), aunque el Estatuto fue luego sustituido por textos más avanzados (las Constituciones de 1837 y 1845), la situación política fue similar: el poder decisorio residía en la Corona, que confiaba el Gobierno al partido moderado; los progresistas sólo conseguían acceder al poder transitoriamente, forzando la voluntad de la reina mediante pronunciamientos militares y movimientos revolucionarios urbanos (1835, 1836, 1840, 1854); pero, tanto si eran los moderados como si eran los progresistas los que llegaban al Gobierno, enseguida convocaban unas elecciones y las manipulaban para obtener unas Cortes con mayoría adicta; y, a falta del consenso más elemental, cada partido aprovechaba su paso por el poder para dictar su propia Constitución.

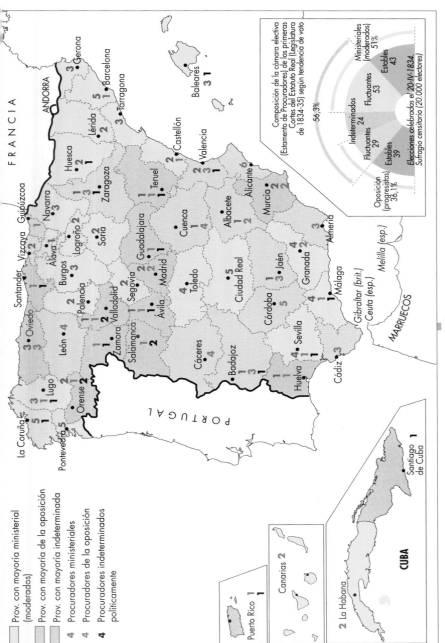

Composición de la cámara electiva (Estamento de Procuradores) de las primeras Cortes del Estatuto Real (Legislatura de 1834-35) según tendencia de voto

Oposición (progresistas) 36,1%

Indeterminados 24
Fluctuantes 29
Estables 39

56,3%

Ministeriales (moderados) 51%
Fluctuantes 53
Estables 43

Elecciones celebradas el 20-IV-1834.
Sufragio censitario (20.000 electores)

FRANCIA

ANDORRA

PORTUGAL

MARRUECOS

Gibraltar (brit.)
Ceuta (esp.)
Melilla (esp.)

La Coruña
Lugo
Pontevedra
Orense
Oviedo
León
Zamora
Santander
Vizcaya
Guipúzcoa
Navarra
Álava
Logroño
Burgos
Palencia
Valladolid
Salamanca
Cáceres
Ávila
Segovia
Soria
Zaragoza
Huesca
Lérida
Gerona
Barcelona
Tarragona
Guadalajara
Madrid
Toledo
Cuenca
Teruel
Castellón
Valencia
Albacete
Alicante
Murcia
Ciudad Real
Badajoz
Córdoba
Jaén
Granada
Almería
Sevilla
Huelva
Cádiz
Málaga
Baleares

Prov. con mayoría ministerial (moderados)
Prov. con mayoría de la oposición
Prov. con mayoría indeterminada
4 Procuradores ministeriales
4 Procuradores de la oposición
4 Procuradores indeterminados políticamente

Puerto Rico 1

Canarias 2

2 La Habana

Santiago de Cuba 1

CUBA

115

5.8 Elecciones del «sexenio revolucionario» (1871)

El falseamiento del régimen representativo y la falta de neutralidad política de Isabel II acabaron dando lugar a una revolución (*la Gloriosa*) que, en septiembre de 1868, destronó a la reina y abrió un periodo constituyente. Una coalición de liberales avanzados, formada por los partidos demócrata y progresista y la *Unión Liberal* (centristas), impulsó la aprobación de una nueva Constitución en 1869: en ella se diseñaba un régimen de monarquía democrática y se reconocían con la mayor amplitud los derechos y libertades de los ciudadanos. Para asegurarse de que el rey cumpliría fielmente el papel de árbitro que le atribuía la Constitución, se llamó a ocupar el Trono vacante a un príncipe italiano, Amadeo de Saboya. Las primeras elecciones por sufragio universal masculino (1871) no estuvieron exentas de las manipulaciones que se habían hecho habituales en el reinado anterior; pero la ampliación de la participación, el régimen de libertades y el ideario liberal-democrático del Gobierno hicieron que los resultados electorales reflejaran mejor el estado de la opinión. Junto a la inevitable mayoría de la coalición revolucionaria y el hundimiento de los moderados, se aprecia la formación de un bastión electoral carlista en Navarra y el País Vasco, así como la pujanza del voto republicano en las grandes ciudades (especialmente en Barcelona). Sin embargo, el régimen de 1869 no consiguió asentarse: frente a la gravedad de los problemas pendientes (como la sublevación independentista que estalló en Cuba), las divisiones internas de la coalición revolucionaria y la falta de tradición democrática fueron fuentes permanentes de inestabilidad y acabaron provocando la abdicación del rey en 1873 (después de dos nuevas elecciones en 1872, y ocho gobiernos en 44 meses). Vacante de nuevo el Trono, el régimen se extinguió dejando a los republicanos la primera oportunidad de hacer realidad sus proyectos.

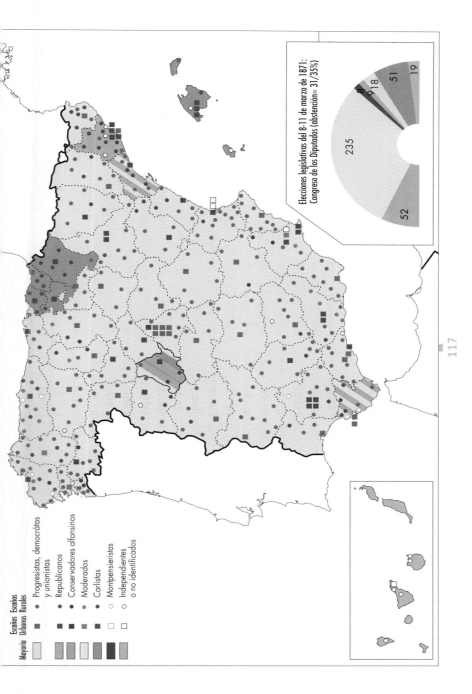

**Elecciones legislativas del 8-11 de marzo de 1871:
Congreso de los Diputados (abstención= 31/35%)**

235
52
8
9
18
51
19

**Escaños Escaños
Urbanos Rurales**

- ● Progresistas, demócratas
  y unionistas
- ● Republicanos
- ● Conservadores alfonsinos
- ● Moderados
- ● Carlistas
- ○ Montpensieristas
- ○ Independientes
  o no identificados

Mayoría

5.9 La Primera República (1873-1874)

La abdicación de Amadeo I llevó a los diputados y senadores, reunidos en Asamblea Nacional, a proclamar la República el 11 de febrero de 1873. Pero las esperanzas de regeneración de la vida política no tardarían en verse defraudadas: obligado a sostener una guerra en dos frentes (contra los rebeldes independentistas en Cuba y contra los carlistas en el Norte), el nuevo Estado no pudo soportar los problemas derivados del recrudecimiento de las reivindicaciones sociales, la falta de apoyo de las clases acomodadas y las divisiones ideológicas en las filas republicanas (entre federalistas y unitarios). Se inició un proceso constituyente, que llevó a elaborar un proyecto de República federal formada por 17 Estados (incluyendo a Cuba y Puerto Rico); pero aquella descentralización pareció insuficiente para los más radicales, que proclamaron cantones independientes en varios lugares (sobre todo en Cataluña, Valencia, Murcia y Andalucía), con la idea de poner en marcha un proceso posterior de federación desde la base. Aquello abría un tercer frente de guerra, pues el Gobierno central hubo de recurrir al ejército para reprimir la insurrección cantonal; el cantón de Cartagena fue el que más resistió (hasta enero del 74) y llegó a dominar gran parte del sudeste peninsular. En medio de tantas dificultades, la República no tuvo la estabilidad política que necesitaba: al frente del Poder Ejecutivo se sucedieron cuatro presidentes (Figueras, Pi y Margall, Salmerón y Castelar), sin conseguir promulgar la nueva Constitución ni abordar las reformas urgentes. Un golpe de Estado encabezado por el general Pavía interrumpió el proceso en enero de 1874, disolviendo el Congreso y dando paso al Gobierno autoritario del general Serrano. Ante el fracaso de la experiencia republicana, la solución *alfonsina* (de poner en el Trono a Alfonso XII) vio llegado el momento de restaurar la monarquía de los Borbones.

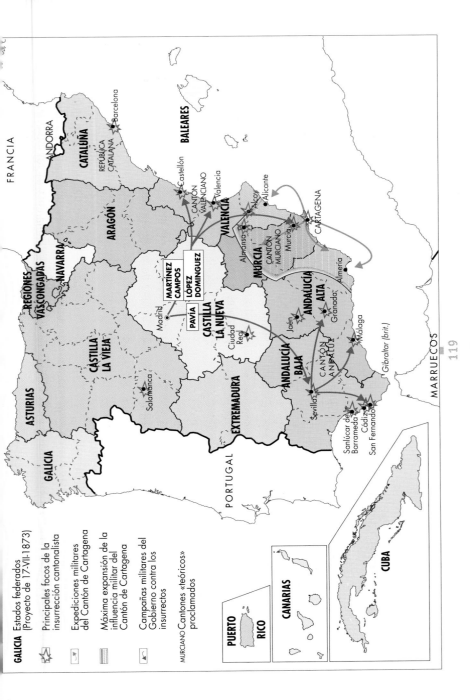

FRANCIA

ANDORRA

CATALUÑA

Barcelona

REPÚBLICA
CATALANA

BALEARES

Castellón

CANTÓN
VALENCIANO

Valencia

VALENCIA

Alcoy

Alicante

ARAGÓN

NAVARRA

CARTAGENA

Almansa

CANTÓN
MURCIANO

Murcia

**REGIONES
VASCONGADAS**

**MARTÍNEZ
CAMPOS**

MURCIA

Almería

**LÓPEZ
DOMÍNGUEZ**

**ANDALUCÍA
ALTA**

ASTURIAS

**CASTILLA
LA VIEJA**

PAVÍA

Madrid

**CASTILLA
LA NUEVA**

Jaén

Granada

Ciudad
Real

Málaga

Salamanca

GALICIA

**ANDALUCÍA
BAJA**

CANTÓN
ANDALUZ

Gibraltar (brit.)

EXTREMADURA

Sevilla

Sanlúcar de
Barrameda

Cádiz

San Fernando

PORTUGAL

MARRUECOS

119

GALICIA Estados federados
(Proyecto de 17-VII-1873)

Principales focos de la
insurrección cantonalista

Expediciones militares
del Cantón de Cartagena

Máxima expansión de la
influencia militar del
Cantón de Cartagena

Campañas militares del
Gobierno contra los
insurrectos

MURCIANO Cantones «teóricos»
proclamados

**PUERTO
RICO**

CANARIAS

CUBA

5.10 Elecciones de la Restauración: el turno conservador (1879)

El pronunciamiento militar de Martínez Campos en 1874 proclamó rey a Alfonso XII, restaurando la dinastía borbónica en el hijo de Isabel II. El régimen de la *Restauración* (vigente hasta 1923) se basó en la Constitución de 1876, obra personal de Antonio Cánovas del Castillo. Inspirándose en el modelo británico, en la tradición española y en su ideario liberal-conservador, diseñó un régimen de monarquía constitucional similar al de Isabel II; pero quiso evitar el recurso a la violencia política estableciendo un turno pacífico de gobierno entre su propio partido (los conservadores, amalgama de la antigua *Unión Liberal* con tránsfugas del moderantismo) y una oposición más avanzada (que, sin embargo, no acababa de consolidarse, debido a las disensiones entre los líderes liberales, desmoralizados y divididos en varios partidos). Dicho turno funcionaría de espaldas a la opinión pública, pues, además de restringir nuevamente el derecho de voto a las clases acomodadas, los conservadores llevaron hasta el extremo las prácticas anteriores de fraude electoral y clientelismo político. Las elecciones arrojaban mayorías aplastantes a favor del Gobierno, como muestran los resultados de 1879; el sistema de distritos uninominales favorecía la influencia de los notables o *caciques*, sobre todo en el medio rural; y, a falta de elecciones limpias, los cambios de Gobierno los decidía el rey (quien, por el momento, se limitó a cambiar de presidente dentro del Partido Conservador, otorgando fugazmente la presidencia a Martínez Campos en 1879, para devolvérsela luego a Cánovas). Los primeros años de la Restauración estuvieron marcados por el autoritarismo del Gobierno conservador, que estableció la censura de prensa y mantuvo proscritas a las opciones extremas a las que había vencido por la fuerza (republicanos y carlistas, que apenas podían presentarse a las elecciones disimulando su adscripción).

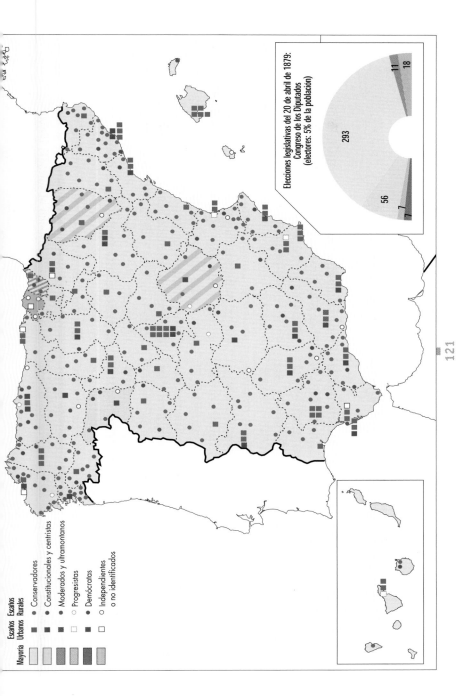

Elecciones legislativas del 20 de abril de 1879:
Congreso de los Diputados
(electores: 5% de la población)

293

56

7

11

18

Escaños Escaños
Urbanos Rurales

Mayoría

● Conservadores
● Constitucionales y centristas
● Moderados y ultramontanos
○ Progresistas
● Demócratas
○ Independientes
  o no identificados

5.11 Elecciones de la Restauración: el turno liberal (1886)

La unificación de las fuerzas liberales para formar la alternativa de poder que necesitaba Cánovas fue un proceso dificultoso. Varios grupos se enfrentaban por razones ideológicas y por rencillas heredadas del *Sexenio*: los *constitucionales* de Práxedes Mateo Sagasta (partidarios de la Constitución de 1869), los *centralistas* de Manuel Alonso Martínez (dispuestos a una transacción con los conservadores) y los *demócratas* de Segismundo Moret (más inclinados a la izquierda). El enfrentamiento entre Cánovas y Martínez Campos, que provocó el paso de éste de las filas conservadoras a las constitucionales en 1880, fue el detonante para la creación del *Partido Liberal Fusionista*, que unió a constitucionales y centralistas. Bajo la jefatura de Sagasta, fueron llamados a gobernar fugazmente en 1881, antes de dividirse y ver que el poder volvía a los conservadores. La unión se completó con la integración de la facción de Moret, que dio lugar al definitivo *Partido Liberal*

y consolidó el liderazgo de Sagasta. La temprana muerte de Alfonso XII en 1884 amenazó con quebrar la estabilidad de la monarquía restaurada; para conjurar el peligro y reforzar los apoyos a la reina regente, Cánovas y Sagasta acordaron hacer efectivo el turno de gobierno (en el llamado *Pacto de El Pardo*). Los liberales, recién unificados, fueron llamados a gobernar en 1885 y convocaron unas elecciones en 1886 para hacerse unas Cortes adictas, calcando las técnicas de manipulación electoral de sus oponentes conservadores; el inconcebible resultado (que revelaría un vuelco drástico de la opinión pública) les permitió agotar la legislatura por única vez en la Restauración. El Gobierno *largo* de Sagasta (1885-90) no cambió la Constitución ni acabó con el falseamiento de las elecciones que corrompía al sistema, pero introdujo un cúmulo de reformas que acercaron al régimen al modelo liberal-democrático, incluyendo el sufragio universal.

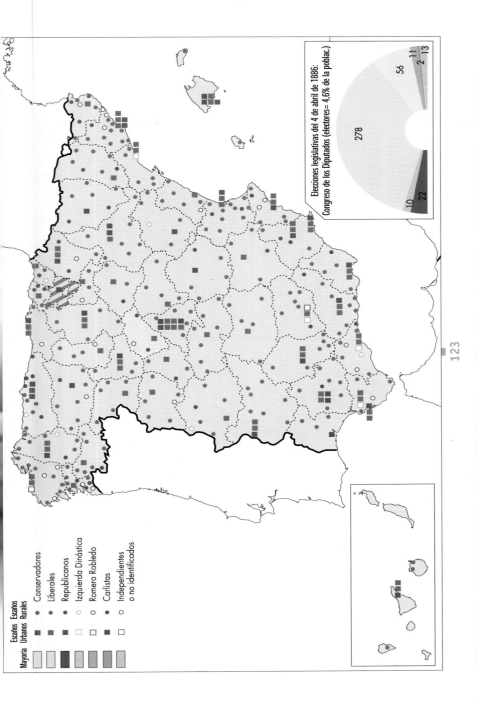

Elecciones legislativas del 4 de abril de 1886:
Congreso de los Diputados (electores= 4,6% de la poblac.)

278
56
11
13
2
22
10

Mayoría

Escaños Escaños
Urbanos Rurales

Conservadores
Liberales
Republicanos
Izquierda Dinástica
Romero Robledo
Carlistas
Independientes
o no identificados

5.12 La administración de justicia en la España contemporánea

El fenómeno más relevante del siglo xix fue la construcción de un Estado unitario que sustituyera a la Monarquía del Antiguo Régimen. Para cumplir sus funciones con eficacia, ese Estado necesitaba de una organización burocrática racional capaz de actuar en todo el territorio. Por lo que respecta a la justicia, la ruptura con el Antiguo Régimen no fue inmediata ni total: hubo que esperar a que se completara la codificación (con los códigos penales de 1822 y 1848, los mercantiles de 1829 y 1885, las leyes de enjuiciamiento civil de 1855 y 1881, las de enjuiciamiento criminal de 1872 y 1882 y el Código Civil de 1889); y aun así, el principio de igualdad ante la ley nunca superó escollos como la pervivencia de ordenamientos jurídicos particulares en las regiones forales, o como la existencia de una jurisdicción eclesiástica paralela. La organización liberal del poder judicial, iniciada en 1834, se completó en 1870. Los tribunales se estruc-

turaban en cuatro niveles: en la cúspide, un *Tribunal Supremo* garantizaba la relativa unidad de jurisdicción. Por debajo, se establecían las *audiencias territoriales*, cuya planta constituía un ensayo de regionalización del Estado; los datos de la historia fueron respetados, dejando que pervivieran las regiones tradicionales y reordenando sólo el centro de la Península (añadiendo a las 12 audiencias del siglo xviii las de Madrid, Burgos y Albacete). En un nivel inferior, las *audiencias provinciales* respondían a la idea de hacer que la división provincial canalizara todas las funciones de la administración. Y, por debajo, se establecieron los *partidos judiciales*, demarcaciones de los juzgados de primera instancia e instrucción; en la práctica, las cabezas de partido sirvieron para organizar todos los ramos de la administración periférica e incluso para trazar las redes de transportes y comunicaciones; y su definición se mantuvo estable por más de un siglo.

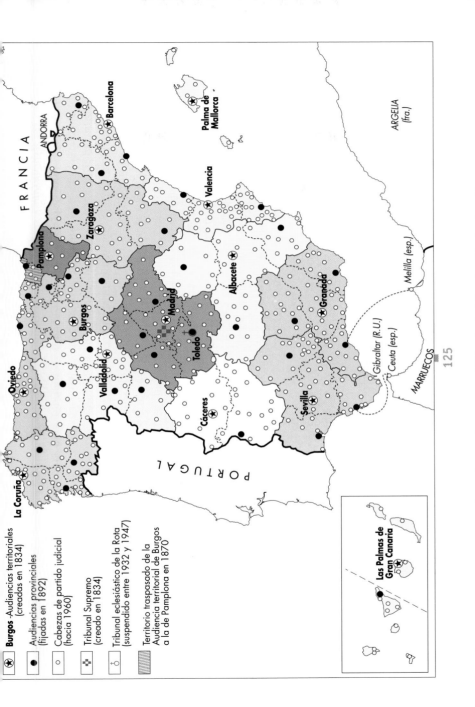

Burgos ⊛ Audiencias territoriales (creadas en 1834)

● Audiencias provinciales (fijadas en 1892)

○ Cabezas de partido judicial (hacia 1960)

▦ Tribunal Supremo (creado en 1834)

⊕ Tribunal eclesiástico de la Rota (suspendido entre 1932 y 1947)

▨ Territorio traspasado de la Audiencia Territorial de Burgos a la de Pamplona en 1870

FRANCIA

ANDORRA

La Coruña ⊛

Oviedo ⊛

Pamplona ⊛

Zaragoza ⊛

Burgos ⊛

Barcelona ⊛

Valladolid ⊛

Madrid ⊛

Toledo ⊕

Valencia ⊛

Albacete ⊛

Cáceres ⊛

Granada ⊛

Sevilla ⊛

Palma de Mallorca ⊛

PORTUGAL

Gibraltar (R.U.)

Ceuta (esp.)

Melilla (esp.)

MARRUECOS

ARGELIA (fra.)

Las Palmas de Gran Canaria ⊛

5.13 Organización militar de la España liberal

La debilidad de los poderes legislativo y judicial en el Estado liberal español contrastaba con la fortaleza del ejecutivo, que, encabezado por la Corona y su Gobierno, contaba con los recursos de la administración y con la posibilidad de usar la fuerza. El ejército fue la espina dorsal del Estado durante buena parte del siglo XIX: un elemento activo de la vida política y un medio represivo esencial para mantener un orden social injusto. Perdidas las funciones que había tenido en el pasado para el control del Imperio, el ejército pasó a ser fundamentalmente un instrumento para mantener el orden público en el interior; y su profesionalización y modernización sería una «asignatura pendiente» hasta tiempos recientes. La distribución de la fuerza y la organización del territorio muestran que sus fines no tenían relación con la defensa nacional tanto como con la ocupación del país para reprimir revueltas y revoluciones. Salta a la vista el parecido entre los *distritos militares* definidos en 1841 (después de los ensayos de 1821-22) y las audiencias territoriales creadas para administrar la justicia: en ambos casos se llegó a un compromiso entre la ocupación del territorio mediante circunscripciones de tamaño homogéneo (empleando las provincias de 1833 como demarcaciones básicas) y la tradición histórica (representada por la pervivencia de las capitanías generales del siglo XVIII, sin más que segregar de la antigua capitanía de Castilla la Vieja la de Burgos); las regiones históricas pervivían, si bien Asturias permanecía unida a Castilla y Murcia a Valencia a efectos militares. Esta planta permaneció intacta hasta bien entrado el siglo XX. A la organización militar propiamente dicha se superponían los cinco *distritos de artillería* (más amplios que los 14 distritos militares) y los tres *departamentos navales* de El Ferrol, Cádiz y Cartagena (subdivididos en *tercios y provincias*).

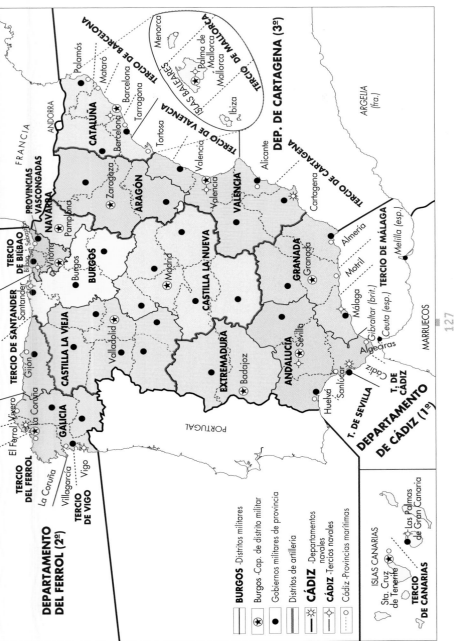

DEPARTAMENTO DEL FERROL (2º)

TERCIO DEL FERROL
TERCIO DE VIGO

TERCIO DE SANTANDER
TERCIO DE BILBAO
PROVINCIAS VASCONGADAS
NAVARRA

FRANCIA
ANDORRA

GALICIA
El Ferrol · Vivero
La Coruña · Villagarcía · Vigo
Gijón · Santander

CASTILLA LA VIEJA
Valladolid

BURGOS
Burgos · Pamplona · Vitoria · Bilbao · S.Sebastián

ARAGÓN
Zaragoza

CATALUÑA
Barcelona · Barcelona · Tarragona · Mataró · Palamós

TERCIO DE BARCELONA

Menorca
ISLAS BALEARES
Palma de Mallorca · Mallorca · Ibiza

TERCIO DE MALLORCA

TERCIO DE VALENCIA

VALENCIA
Valencia · Valencia · Tortosa · Alicante

DEP. DE CARTAGENA (3º)
TERCIO DE CARTAGENA
Cartagena

CASTILLA LA NUEVA
Madrid

EXTREMADURA
Badajoz

GRANADA
Granada · Almería · Motril · Málaga

TERCIO DE MÁLAGA
Melilla (esp.)

ANDALUCÍA
Sevilla · Huelva · Sanlúcar · Algeciras · Cádiz

Ceuta (esp.)
Gibraltar (brit.)

T. DE SEVILLA
T. DE CÁDIZ
DEPARTAMENTO DE CÁDIZ (1º)

PORTUGAL
MARRUECOS
ARGELIA (fra.)

BURGOS -Distritos militares
⊛ Burgos -Cap. de distrito militar
● Gobiernos militares de provincia
Distritos de artillería
☆ **CÁDIZ** -Departamentos navales
◇ **CÁDIZ** -Tercios navales
○ Cádiz -Provincias marítimas

ISLAS CANARIAS
Sta. Cruz de Tenerife
Las Palmas de Gran Canaria
TERCIO DE CANARIAS

127

5.14 Las Antillas españolas en el siglo XIX

Tras perder la mayor parte de América, a España sólo le quedaron las islas de Cuba y Puerto Rico en las Antillas (además de un dominio intermitente sobre Santo Domingo, definitivamente abandonado en 1865) y las lejanas Filipinas en el Pacífico. Sobre estas islas —y particularmente sobre Cuba— la España liberal desarrolló un nuevo colonialismo, caracterizado por una explotación y un control más intensivos, que exigieron el envío masivo de soldados, emigrantes y esclavos. El nuevo colonialismo, basado en el comercio y las plantaciones, creó lazos muy estrechos entre la metrópoli y sus colonias, que dejaron de ser consideradas dominios de la Corona (como en el Antiguo Régimen) para pasar a considerarse dominios de la nación. Ello explica la reacción popular que produjo en España la sublevación independentista cubana. Hubo una primera insurrección en 1868-78 (la *guerra de los diez años*), protagonizada por hacendados cubanos reacios a los aires democráticos del «sexenio». La revolución definitiva de 1895 tuvo una base social más extensa y mayor participación popular; se inició en la provincia de Oriente y los españoles no consiguieron sofocarla a pesar de la temprana muerte del líder de los revolucionarios (José Martí) y a pesar de mandar a la isla un gran ejército que empleó los métodos represivos más crueles. Finalmente, fue la intervención de los Estados Unidos —en defensa de sus intereses económicos y estratégicos en la zona— la que decidió la contienda en 1898, poniendo fuera de combate a la Armada española en las batallas de Cavite (Filipinas) y Santiago (Cuba); los gobernantes de la Restauración firmaron el Tratado de París, por el que España renunciaba a Cuba, Puerto Rico y Filipinas, con el fin de evitar una crisis política que acabara con el régimen; y, efectivamente, consiguieron que la crisis no pasara de una reacción intelectual de introspección crítica y de regeneracionismo patriótico.

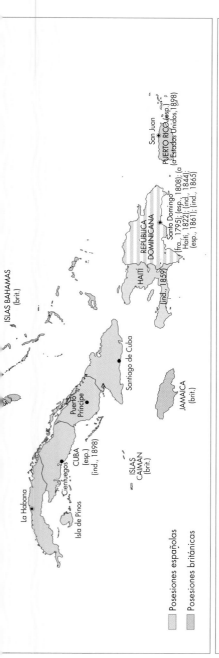

ISLAS BAHAMAS
(brit.)

La Habana

Cienfuegos

Isla de Pinos

CUBA
(esp.)
(ind., 1898)

Puerto
Príncipe

Santiago de Cuba

ISLAS
CAIMÁN
(brit.)

JAMAICA
(brit.)

HAITÍ
(ind., 1859)

REPÚBLICA
DOMINICANA

Santo Domingo
(fra., 1795); (esp., 1808); (a
Haití, 1822); (ind., 1844);
(esp., 1861); (ind., 1865)

San Juan

PUERTO RICO (esp.)
(d'Estados Unidos, 1898)

Posesiones españolas

Posesiones británicas

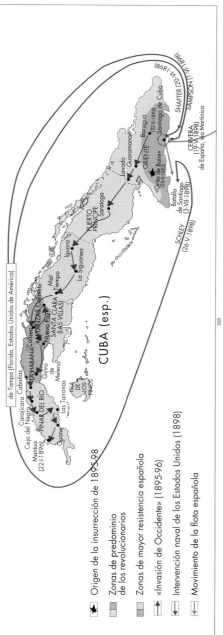

CUBA (esp.)

de Tampa (Florida, Estados Unidos de América)

Mantua
(22-I-1896)

Ceja del Negro

Carajícara

PINAR DEL RÍO

Güira
de
Melena

Las Tairomas

Guane

ISLA
DE
LOS
PINOS

Cabañas

LA HABANA

Colisea

MATANZAS

Coliseo

Nueva Paz

SANTA CLARA
(LAS VILLAS)

Mal
Tiempo

La Siguanea

Iguara

PUERTO
PRÍNCIPE

Saratoga

Lavado

Guaramano

Baraguá
(22-X-1895)

Santiago de Cuba

ORIENTE

«Grito de Baire»
(24-II-1895)

Batalla
de Santiago
(3-VII-1898)

SCHLEY
(26-V-1898)

CERVERA
(19-V-1898)
de España, a la Martínica

SAMPSON (1-VI-1898)

SHAFTER (20-VI-1898)

Origen de la insurrección de 1895-98

Zonas de predominio
de los revolucionarios

Zonas de mayor resistencia española

«Invasión de Occidente» (1895-96)

Intervención naval de los Estados Unidos (1898)

Movimiento de la flota española

129

Sexta parte

Dictadura y democracia en el siglo XX

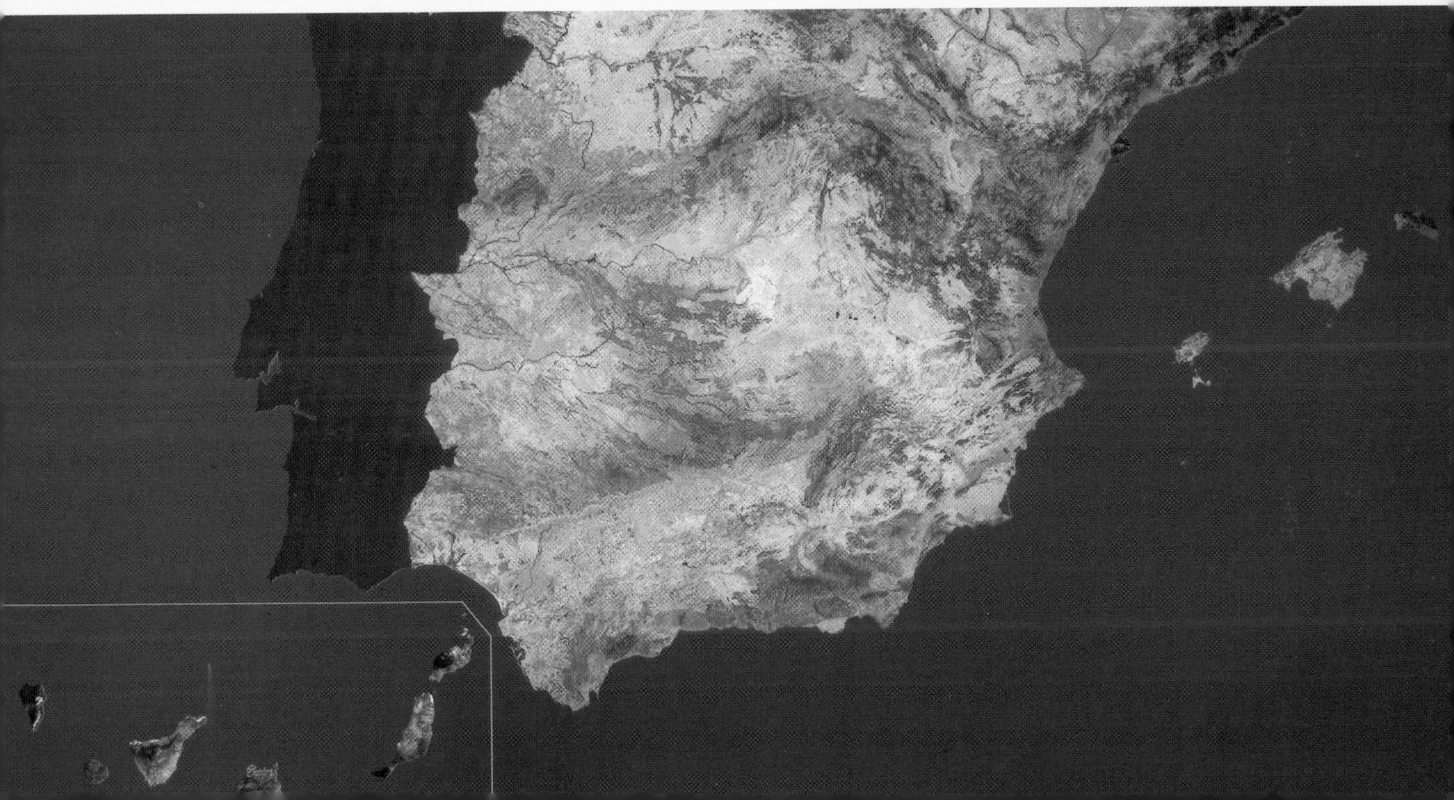

6.1 El Estado centralista (1900)

Como denunciaron los intelectuales *regeneracionistas*, en torno al cambio de siglo el Estado español era una construcción marcada por el centralismo. Éste había surgido en la doctrina liberal como una garantía de la igualdad: para superar los privilegios y los agravios del Antiguo Régimen (con su fragmentación en reinos y señoríos con regulaciones diferentes) el Estado liberal recurrió a la idea de un poder central fuerte, capaz de extender los beneficios de una legislación racional a todos los ciudadanos, vivieran en el territorio que vivieran; con tal de que fuera un poder representativo y limitado por la Constitución, no habría que temer que degenerara en tiranía. La aplicación a España de ese modelo —procedente de la Revolución Francesa— se alejó del ideal racionalista y emancipador, precisamente porque el poder central fue poco representativo y el autoritarismo tendió a primar sobre el equilibrio constitucional. A medida que se hacía menos liberal, el

Estado se hizo más centralista y los instrumentos ideados para vencer los obstáculos a la libertad y la igualdad se emplearon para mantener el orden establecido, reprimiendo las voces discordantes y sometiendo al país a los dictados de una oligarquía. El centro del poder era el Ministerio de la Gobernación, encargado de controlar el orden público y de manipular las elecciones; de él dependían los gobernadores civiles, agentes del Gobierno en cada provincia, que proporcionaban información y mantenían el orden; para ello contaban con un instrumento tan eficaz como la Guardia Civil, un cuerpo militar creado en 1844, especializado en la protección de la propiedad y de los propietarios, y distribuido estratégicamente para la ocupación interior del país. La construcción de la red ferroviaria (a partir de 1848), diseñada también con un esquema centralizado, mejoró la capacidad del Gobierno para controlar las regiones periféricas y reprimir las protestas sociales.

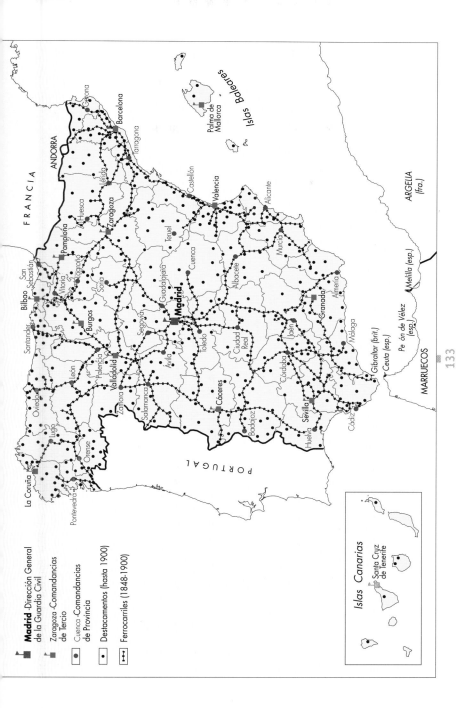

Madrid -Dirección General de la Guardia Civil

Zaragoza -Comandancias de Tercio

Cuenca -Comandancias de Provincia

● Destacamentos (hasta 1900)

◆—● Ferrocarriles (1848-1900)

FRANCIA

ANDORRA

PORTUGAL

ARGELIA (fra.)

MARRUECOS

Pe ón de Vélez (esp.)

Melilla (esp.)

Ceuta (esp.)

Gibraltar (brit.)

Islas Baleares

Palma de Mallorca

Islas Canarias

Santa Cruz de Tenerife

La Coruña
Pontevedra
Orense
Lugo
Oviedo
Santander
Bilbao
San Sebastián
Vitoria
Pamplona
Logroño
Huesca
Gerona
Barcelona
Lérida
Zaragoza
Tarragona
Castellón
Valencia
Alicante
Teruel
Soria
Burgos
León
Zamora
Palencia
Valladolid
Salamanca
Segovia
Ávila
Guadalajara
Cuenca
Albacete
Murcia
Almería
Granada
Jaén
Málaga
Córdoba
Ciudad Real
Toledo
Cáceres
Badajoz
Sevilla
Huelva
Cádiz
Madrid

133

6.2 Mancomunidades regionales y estatutos de autonomía (1876-1939)

El centralismo no fue lo bastante fuerte para integrar a la población en torno a un proyecto nacional, pero sí para provocar reacciones de sentido contrario en varias regiones periféricas. Desde finales del siglo XIX aparecieron movimientos regionalistas en Cataluña y el País Vasco, que pronto se extendieron a otras regiones. Bajo la Restauración sólo Cataluña logró una tímida descentralización administrativa, la *Mancomunidad* (1914), anulada después por la dictadura de Primo de Rivera (1925). La Segunda República trajo una nueva eclosión regionalista: la Constitución de 1931 definía a España como un *Estado integral*, abriendo la puerta a la aprobación de estatutos de autonomía regionales con contenido político. Aunque proliferaron las propuestas, sólo se completaron procesos de autonomía en las regiones con movimientos nacionalistas fuertes: la *República catalana* fue proclamada al mismo tiempo que la República española, aunque luego se recondujo el proceso dentro de los

cauces constitucionales; Cataluña obtuvo desde 1931 un Gobierno autónomo provisional, el cual elaboró un anteproyecto (*Estatuto de Nuria*) que, revisado por las Cortes españolas en sentido moderado, se aprobó como Estatuto de Cataluña en 1932; el autogobierno catalán (suspendido temporalmente a raíz de la Revolución de 1934) pervivió hasta el final de la Guerra Civil (1939). En el País Vasco, las reticencias republicanas hacia el nacionalismo conservador del PNV retrasaron la concesión de la autonomía hasta 1936; el Estatuto vasco —aprobado para asegurarse la lealtad de aquella región durante la Guerra Civil— era un texto más moderado que el propuesto por los nacionalistas en 1931 (incluyendo a Navarra) y sólo estuvo vigente hasta la conquista de las Vascongadas por el ejército franquista (1937). El estatuto de Galicia, aprobado por plebiscito en 1936, no llegó a entrar en vigor; y en otras regiones los proyectos no pasaron del papel.

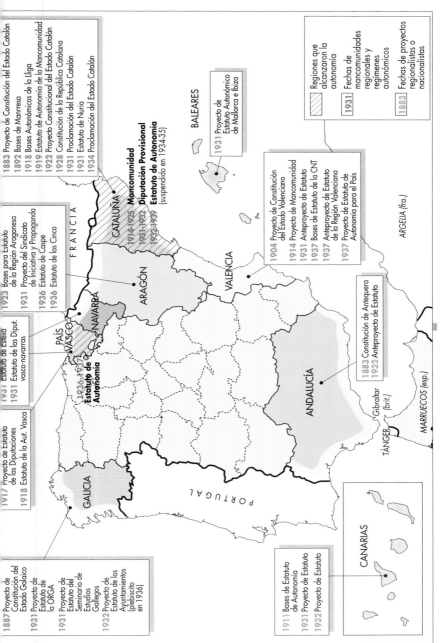

6.3 Nacionalismos catalán y vasco

La ideología nacionalista procedía del romanticismo alemán: frente al racionalismo y al liberalismo, reivindicaba la idea de que cada pueblo tiene un *espíritu* propio, ajeno y superior a la voluntad de los individuos; la identidad de un pueblo se refleja en su historia, cultura, instituciones y, sobre todo, en la lengua. Las fronteras políticas debían respetar las fronteras lingüísticas, creando Estados adecuados al carácter de cada nación. Partiendo de las bases tradicionales del carlismo, los nacionalistas crearon movimientos que ponían en cuestión la unidad de España; aunque oscilarían entre el autonomismo y el separatismo, esta aspiración última a la independencia era su razón de ser ideológica. El nacionalismo respondía a los intereses de grupos sociales amenazados por las novedades del mundo moderno: los dos grandes focos del nacionalismo (Barcelona y Vizcaya) coincidían con zonas de intensa industrialización, que recibían mano de obra inmigrante. El éxito económico llevó a una parte de la burguesía catalana (aglutinada por Enric Prat de la Riba y Francesc Cambó en la *Lliga Regionalista* desde 1901) a reclamar mayores cotas de poder para lograr objetivos como la protección a la industria textil o la contención del movimiento obrero; formulaciones más radicales reclamarían la independencia de los *Países Catalanes*, incorporando las Baleares, el País Valenciano, la franja catalanoparlante de Aragón, Andorra y la Cataluña francesa (véase mapa A). El nacionalismo vasco fue creación personal de Sabino Arana, fundador del PNV en 1895: movilizó a un sector de la pequeña burguesía en torno a un ideario reaccionario, católico y racista, que reclamaba la supuesta independencia originaria de las «siete provincias» (*Euskal Herría* o el país de los que hablan vascuence, a pesar de ser ésta una lengua minoritaria; o *Euskadi*, nombre ideado por Arana): Vascongadas (incluidos los enclaves castellanos como Treviño), Navarra y las tres provincias vascofrancesas (véase mapa B).

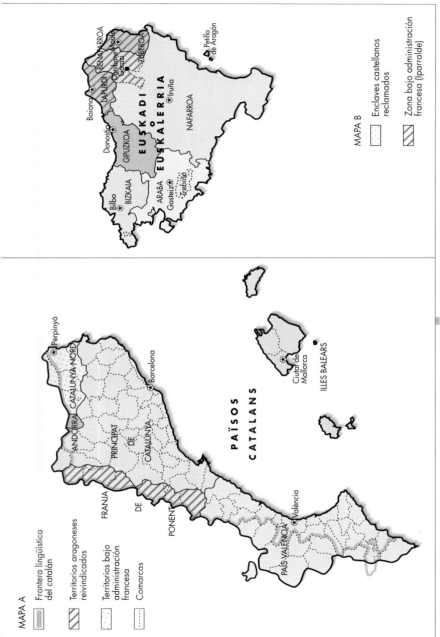

MAPA A

▨ Frontera lingüística del catalán

▨ Territorios aragoneses reivindicados

▨ Territorios bajo administración francesa

▨ Comarcas

PAÏSOS CATALANS

Perpinyà

CATALUNYA-NORD

ANDORRA

FRANJA

PRINCIPAT DE CATALUNYA

DE

PONENT

Barcelona

PAÍS VALENCIÀ

València

Ciutat de Mallorca

ILLES BALEARS

MAPA B

▨ Enclaves castellanos reclamados

▨ Zona bajo administración francesa (Iparralde)

Baiona

LAPURDI

BENAFARROA

Oztibarre Maule

Donibane Garazi

ZIBEROA

EUSKADI

Donostia

GIPUZKOA

EUSKALERRIA

Bilbo

BIZKAIA

ARABA

Gasteiz

Trebiñó

Iruña

NAFARROA

Petilla de Aragón

137

6.4 La crisis de 1917

En 1917 el régimen de la Restauración se vio sacudido por una crisis que puso al descubierto las limitaciones de aquel Estado corrupto, centralista y falsamente democrático. Un grupo de parlamentarios catalanistas, cansados de buscar la democratización y descentralización del Estado dentro de los cauces constitucionales, reunió en Barcelona una *Asamblea de Parlamentarios* a la que, además de regionalistas, acudieron demócratas y progresistas de diferentes partidos para reclamar una reforma constitucional. Simultáneamente, los dos grandes sindicatos obreros (UGT y CNT) llamaron a una *huelga general revolucionaria*, ante el descontento creado por los trastornos económicos derivados de la Primera Guerra Mundial (con un alza generalizada del coste de la vida, mientras los empresarios se enriquecían rápidamente). Tales protestas reflejaban la pujanza de nuevas fuerzas sociales —como los nacionalismos y el movimiento obrero—, que no encontraban cauces legales para expre-

sarse, debido a los mecanismos oligárquicos y caciquiles que distorsionaban la representación. Un tercer conflicto vino a añadirse cuando un sector del ejército se movilizó formando *Juntas de Defensa* para reclamar mejoras salariales y profesionales; detrás de aquel movimiento corporativo había aspiraciones de poder ligadas a una ideología autoritaria y conservadora, con la que simpatizaba parte de la clase política (que concedió a los militares lo que pedían). Los parlamentarios acabaron por moderar sus planteamientos ante el temor al estallido obrero y militar, y se contentaron con obtener algunas carteras ministeriales. La huelga general, que sacudió a las zonas industriales, fue objeto de una dura represión, en la que el Gobierno contó con la colaboración de las Juntas militares; pero el descontento continuó manifestándose entre los obreros agrícolas (sobre todo de Andalucía), que en 1918-21 protagonizaron la oleada de huelgas conocida como «trienio bolchevique».

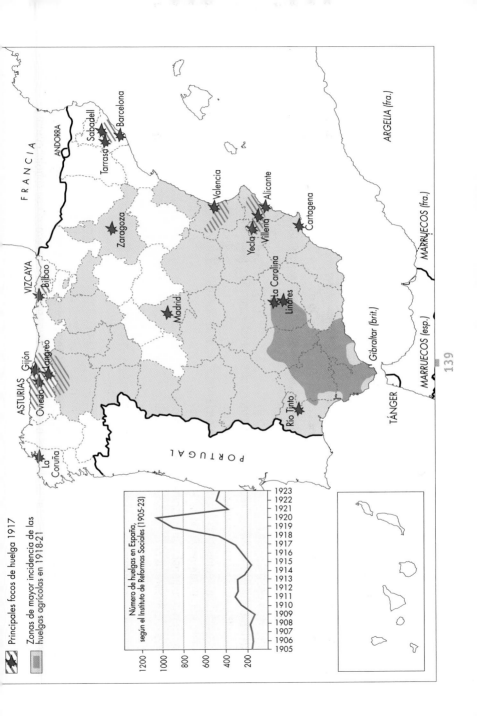

Principales focos de huelga 1917

Zonas de mayor incidencia de las huelgas agrícolas en 1918-21

Número de huelgas en España, según el Instituto de Reformas Sociales (1905-23)

1200
1000
800
600
400
200

1905
1906
1907
1908
1909
1910
1911
1912
1913
1914
1915
1916
1917
1918
1919
1920
1921
1922
1923

FRANCIA

ANDORRA

Sabadell
Tarrasa
Barcelona

Zaragoza

Valencia

Alicante
Yecla
Villena
Cartagena

La Carolina
Linares

Río Tinto

Madrid

Gijón
Oviedo
Langreo
VIZCAYA
Bilbao
ASTURIAS

La Coruña

PORTUGAL

Gibraltar (brit.)

MARRUECOS (esp.)

TÁNGER

MARRUECOS (fra.)

ARGELIA (fra.)

139

6.5 La crisis de la Restauración: elecciones de 1923

La crisis de 1917 se cerró sin introducir reformas significativas. La clase política, aferrada a sus vicios caciquiles y oligárquicos, siguió monopolizando el poder y poniendo trabas a la participación de las fuerzas que canalizaban el descontento (nacionalistas, regionalistas, republicanos, socialistas...). La represión se empleaba a fondo contra el movimiento obrero, una parte del cual —los anarquistas— respondía también con la violencia (asesinato del primer ministro Eduardo Dato en 1921); a ello se añadían las dificultades militares en Marruecos (desastre de Annual, 1921), que soliviantaban a la opinión pública y enfrentaban a los políticos. Los partidos dinásticos se hallaban divididos en corrientes personalistas que acrecentaban la inestabilidad de los gobiernos; y el rey Alfonso XIII se mostraba cada vez más proclive a las ideas autoritarias de un sector del ejército. Las elecciones legislativas de abril de 1923 representaron una esperanza de cambio: convocadas por un

Gobierno de concentración liberal presidido por García Prieto, debían dar paso a reformas democratizadoras. La consulta siguió el modelo tradicional: el abstencionismo demostraba la desmovilización del electorado; muchos escaños se atribuían sin votación, al presentarse un único candidato (según el artículo 29 de la Ley Electoral de 1907); y las manipulaciones dieron la habitual mayoría al partido gobernante. Pero, al menos, se permitió que republicanos y nacionalistas se abrieran paso en sus feudos respectivos; el nombramiento de Melquiades Álvarez para presidir el Congreso anunciaba la apertura de un proceso constituyente; y el Gobierno puso en marcha medidas como la exigencia de responsabilidades por los fracasos de Marruecos. Todo ello pareció inaceptable para los militares reaccionarios que, con la aquiescencia del rey, apoyaron un golpe de Estado en septiembre de 1923: el régimen de la Restauración dejó paso a una dictadura militar encabezada por Miguel Primo de Rivera.

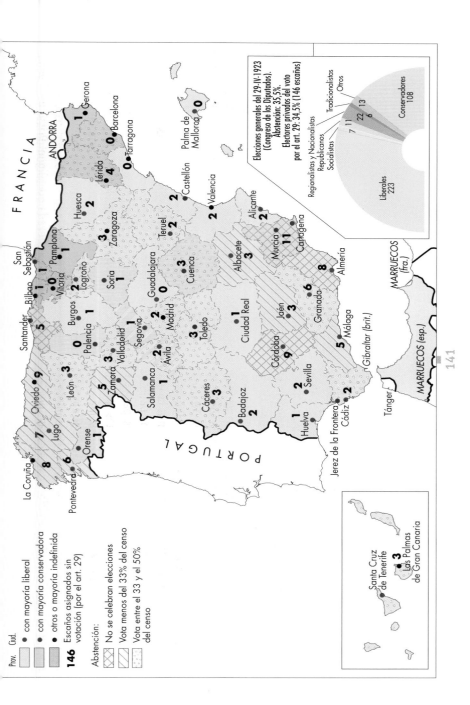

Prov. Ciud.
- con mayoría liberal
- con mayoría conservadora
- otros o mayoría indefinida

146 Escaños asignados sin votación (por el art. 29)

Abstención:
- No se celebran elecciones
- Vota menos del 33% del censo
- Vota entre el 33 y el 50% del censo

Elecciones generales del 29-IV-1923 (Congreso de los Diputados).
Abstención: 35,5%.
Electores privados del voto por el art. 29: 34,5% (146 escaños)

Regionalistas y Nacionalistas
Republicanos
Socialistas
Tradicionalistas
Otros
Conservadores 108
Liberales 223

7 11 22 13
6

FRANCIA
ANDORRA
PORTUGAL

Gerona 1
Barcelona 0
Tarragona 0
Lérida 4
Palma de Mallorca 0
Castellón 2
Valencia 2
Huesca 2
Zaragoza 3
Teruel 2
Alicante 2
Pamplona 1
San Sebastián 1
Bilbao 1
Vitoria 0
Logroño 2
Soria 1
Guadalajara 0
Cuenca 3
Albacete 3
Murcia 11
Cartagena
Santander 5
Burgos 1
Segovia 1
Madrid 0
Almería 8
Palencia 0
Valladolid 1
Ávila 2
Toledo 3
Ciudad Real 1
Jaén 3
Granada 6
Córdoba 9
Oviedo 9
Lugo 7
León 3
Zamora 3
Salamanca 1
Cáceres 3
Badajoz 2
Sevilla
Málaga 5
La Coruña 8
Pontevedra 6
Orense 1
Huelva 2
Jerez de la Frontera
Cádiz 2
Gibraltar (brit.)
Tánger
MARRUECOS (fra.)
MARRUECOS (esp.)

Santa Cruz de Tenerife
Las Palmas de Gran Canaria 3

141

6.6 Elecciones municipales de 1931

La dictadura de Primo de Rivera (1923-30) no solucionó ninguno de los grandes problemas que habían provocado la crisis de la Restauración. En cambio, terminó de desacreditar a Alfonso XIII, quien, al admitir la implantación de una dictadura, ligó el futuro de la dinastía a la pervivencia de esta situación de fuerza. Cuando Primo de Rivera dimitió, acosado por los problemas pendientes y por la falta de apoyos firmes, la causa de la democracia había quedado identificada con la forma republicana del Estado. Fueron inútiles los esfuerzos de los gobiernos Berenguer y Aznar por restablecer la normalidad constitucional como si nada hubiera pasado, pues las intensas demandas de libertad, democracia, autonomía y reformas sociales creaban una situación «prerrevolucionaria». Se convocaron unas elecciones municipales para tantear la opinión del país y comenzar la transición a una nueva legalidad política. Aunque el peso del caciquismo no había desaparecido del todo —sobre todo en el medio rural—, las elecciones del 14 de abril de 1931 mostraron el peso que la opinión republicana había adquirido en la opinión pública española: en las ciudades importantes, que eran las únicas circunscripciones cuyo voto podía interpretarse como reflejo de la voluntad real de los electores, la victoria republicana fue espectacular; y el avance del voto nacionalista, regionalista y socialista mostraba la reacción del electorado contra todo lo que habían significado la Restauración, la Monarquía y la dictadura. La alegría de los votantes de izquierdas se desbordó y la República fue proclamada espontáneamente en las calles. Ante el hecho consumado, el rey partió al exilio (en la Italia fascista), abandonando el Trono sin abdicar formalmente. Comenzaba la historia de la Segunda República, que en aquel mismo año reunió unas Cortes (marcadas por esta orientación izquierdista del electorado) que elaboraron la Constitución de 1931.

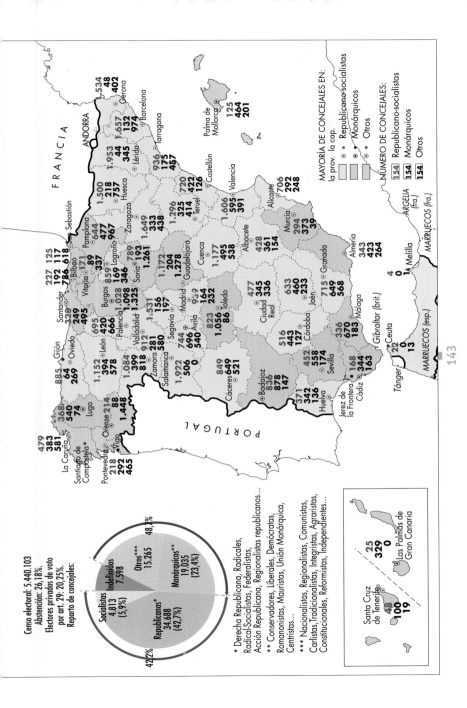

6.7 El movimiento obrero en la Segunda República (1931)

La Segunda República (1931-39) no significó sólo un cambio de régimen político: la democracia trajo consigo una intensificación de las reivindicaciones sociales canalizadas por las organizaciones obreras; éstas crecieron en fuerza e influencia, movilizaron a una parte importante de los trabajadores y obtuvieron mejoras sociales sustanciales del Estado republicano, que necesitaba el apoyo popular para oponerse a los grupos dominantes tradicionales. Esta experiencia de intensas luchas sociales extendió la conciencia de clase entre los obreros y completó la formación de una sociedad de clases en España. Dos grandes organizaciones se repartían el liderazgo de las luchas obreras: la *Unión General de Trabajadores* (fundada en 1888), socialista y especialmente fuerte en Madrid y Vizcaya; y la *Confederación Nacional del Trabajo* (fundada en 1910), anarcosindicalista y hegemónica en Cataluña; en otras zonas, como Asturias, Valencia o Andalucía, las fuerzas estaban equilibradas. La fortaleza de los sindicatos constituyó tanto un apoyo como un problema para la República: las demandas sociales se expresaban con tal impaciencia que era imposible satisfacerlas, en una coyuntura marcada por la depresión económica mundial; la retórica radical de los sindicalistas provocaba tensiones, frustración entre los obreros y miedo entre los empresarios, acentuando la polarización social que precedió a la Guerra Civil. La CNT no contribuía a la paz social ni a la consolidación de las instituciones, dada su ideología anarquista; y la UGT, tenida por más moderada, era una organización marxista revolucionaria, que no dudó en participar en un intento de revolución armada contra la República cuando ésta cayó en manos de un Gobierno de derechas (1934). Sólo el estallido de la Guerra Civil en 1936 pondría claramente a los sindicatos del lado de la legalidad democrática, demostrando la importancia de estas organizaciones para la movilización popular en defensa de la República.

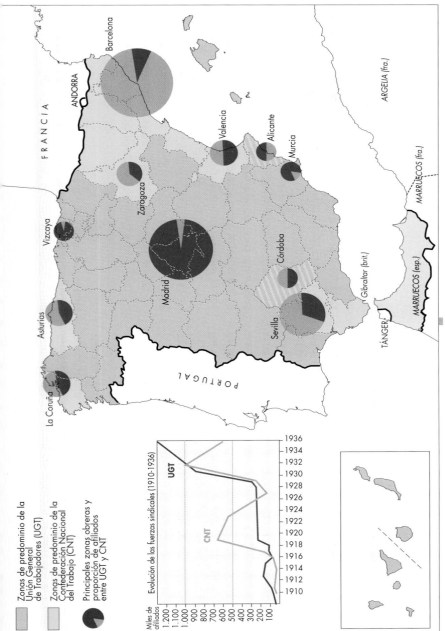

Zonas de predominio de la
Unión General
de Trabajadores (UGT)

Zonas de predominio de la
Confederación Nacional
del Trabajo (CNT)

Principales zonas obreras y
proporción de afiliados
entre UGT y CNT

Miles de
afiliados

Evolución de las fuerzas sindicales (1910-1936)

UGT

CNT

FRANCIA

ANDORRA

Barcelona

Valencia

Alicante

Murcia

Zaragoza

Vizcaya

Córdoba

Madrid

Asturias

Sevilla

La Coruña

PORTUGAL

Gibraltar (brit.)

TÁNGER

MARRUECOS (esp.)

MARRUECOS (fra.)

ARGELIA (fra.)

1.200
1.100
1.000
900
800
700
600
500
400
300
200
100

1910
1912
1914
1916
1918
1920
1922
1924
1926
1928
1930
1932
1934
1936

6.8 Elecciones del Frente Popular (1936)

Durante la Segunda República se celebraron tres elecciones generales: las de 1931 dieron una clara mayoría a la coalición republicano-socialista, permitiéndole redactar una Constitución democrática y laica con tintes sociales, y sustentar la obra reformadora del *bienio social-azañista* (1931-33). La consulta de 1933 mostró la decepción del electorado progresista y la reacción de las derechas, abriendo un bienio de gobiernos conservadores que frenaron y rectificaron en buena medida las reformas iniciadas; ante el temor a que la llegada de Gil Robles al poder significara un nuevo triunfo del fascismo (como los que se habían vivido en Italia, Alemania y Austria), una parte de la izquierda sucumbió a la tentación revolucionaria y se alzó en armas contra el Gobierno derechista (1934), pero fracasó en el intento y sufrió una dura represión. La tercera convocatoria electoral, en febrero de 1936, tuvo lugar en un clima de intensa movilización y tensión, con la opinión polarizada en dos bloques ideológicos, aglutinados en torno a discursos radicalizados. Las fuerzas moderadas tuvieron poco margen en la República desde el comienzo, como demostró el aislamiento del presidente de la República, Niceto Alcalá Zamora, un republicano de derechas; tras las elecciones de 1936, el centrismo quedó arrinconado y el propio presidente fue sustituido por el líder de la *Izquierda Republicana*, Manuel Azaña (que había presidido el Gobierno en 1931-33). Éste tenía detrás a la coalición electoral que había ganado las elecciones gracias al voto de las grandes ciudades, las zonas industriales y los jornaleros del sur: el *Frente Popular*, que aglutinaba a comunistas y socialistas con republicanos y catalanistas progresistas, dispuestos a retomar el programa reformador del primer bienio. Frente a ellos, el bloque de derechas se imponía en la España católica y campesina, mostrando la imagen de un país dividido en dos bloques antagónicos.

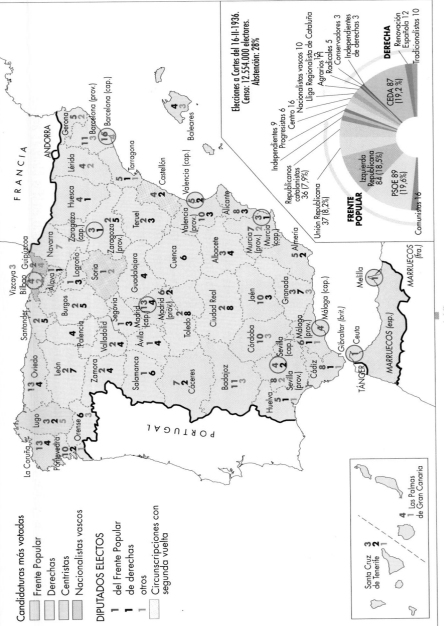

Candidaturas más votadas

- Frente Popular
- Derechas
- Centristas
- Nacionalistas vascos

DIPUTADOS ELECTOS

1 del Frente Popular

1 de derechas

1 otros

Circunscripciones con segunda vuelta

Elecciones a Cortes del 16-II-1936.
Censo: 12.554.000 electores.
Abstención: 28%

FRENTE POPULAR

- Unión Republicana 37 (8,2%)
- Izquierda Republicana 84 (18,5%)
- PSOE 89 (19,6%)
- Comunistas 16
- Republicanos catalanistas 36 (7,9%)
- Independientes 9
- Progresistas 6
- Centro 16
- Nacionalistas vascos 10
- Lliga Regionalista de Cataluña 12
- Agrarios 14
- Radicales 5
- Conservadores 3
- Independientes de derechas 3

DERECHA

- Renovación Española 12
- Tradicionalistas 10
- CEDA 87 (19,2%)

FRANCIA

ANDORRA

PORTUGAL

MARRUECOS (fra.)

MARRUECOS (esp.)

TÁNGER

Santa Cruz de Tenerife **3** **2** 1

4 1 Las Palmas de Gran Canaria

La Coruña **13** 4

Lugo 3 2

Pontevedra 2 2

Orense 6 3

Oviedo **13** 4

León 7 2

Zamora 4 2

Santander 2 5

Vizcaya 3

Bilbao Guipúzcoa 2 1 4

Álava 1

Navarra 7

Burgos 2 5

Palencia 4 1

Valladolid 4 2

Logroño 3 1

Soria 2

Zaragoza (cap.) **3**

Zaragoza (prov.) 2 5

Huesca 4 1

Lérida 4 2

Gerona 4 2

Barcelona (prov.) 11 3

Barcelona (cap.) **16** 4

Tarragona 5 1

Teruel 2 3

Castellón 4 2

Valencia (cap.) **5**

Valencia (prov.) 10 3

Alicante 8 3

Murcia (prov.) 7 3

Murcia (cap.) **1** 2

Almería 5 2

Guadalajara 4 1

Cuenca 6

Segovia 1 3

Ávila 4 1

Madrid (cap.) **13**

Madrid (prov.) 6 2

Toledo 8

Ciudad Real 8

Jaén 10 3

Granada 3 7

Salamanca 1 6

Cáceres 7 3

Badajoz 11 3

Córdoba 10 3

Sevilla (cap.) **4** 2

Sevilla (prov.) 8 1

Huelva 5 1

Cádiz 8 1

Málaga (cap.) **4**

Málaga (prov.) 6 1

Gibraltar (brit.)

Ceuta 1

Melilla 1

Baleares 4 3

147

6.9 El golpe de Estado de 1936

El 17 y 18 de julio de 1936 un grupo de militares reaccionarios protagonizaron un golpe de Estado contra el Gobierno del Frente Popular. El organizador de la conspiración era el general Emilio Mola, que pretendía reconducir a la República en un sentido autoritario y conservador, poniendo al frente al general Sanjurjo (exiliado en Portugal tras haber sido perdonado por un golpe anterior fallido en 1932). A última hora se sumó a la conspiración Francisco Franco, un joven general sin ideología definida y con gran prestigio entre el ejército de Marruecos. El golpe fracasó en las principales ciudades (excepto en Sevilla y Zaragoza) por la reacción de las organizaciones obreras, que hicieron frente a los sublevados en unión de las fuerzas militares y policiales que permanecían leales. Pero los rebeldes se negaron a deponer su actitud y transformaron el golpe en una larga guerra civil entre la España católica y anticomunista y la España democrática y antifascista. En el curso de la contienda murieron Mola y Sanjurjo, dejando el camino libre a Franco para convertirse en *caudillo* de la España que llamaron *nacional*; le avalaba el tener el mando de la parte más preparada y eficaz del ejército, que eran las tropas coloniales; y también la preferencia de los aliados exteriores, la Alemania nazi y la Italia fascista, cuya ayuda fue decisiva. La primera operación relevante fue trasladar a la Península al ejército de África (con ayuda de la aviación alemana); desde Andalucía, Franco inició la marcha hacia Madrid, supremo objetivo de guerra como capital del Estado, ante el cual había fracasado Mola. Tras unificar su zona con la de Mola y apuntarse el triunfo simbólico de levantar el sitio del Alcázar de Toledo, Franco se presentó ante Madrid, provocando la huida del Gobierno republicano a Valencia; pero se encontró con la inesperada resistencia de una población movilizada en defensa de la República que le impidió pasar durante tres años.

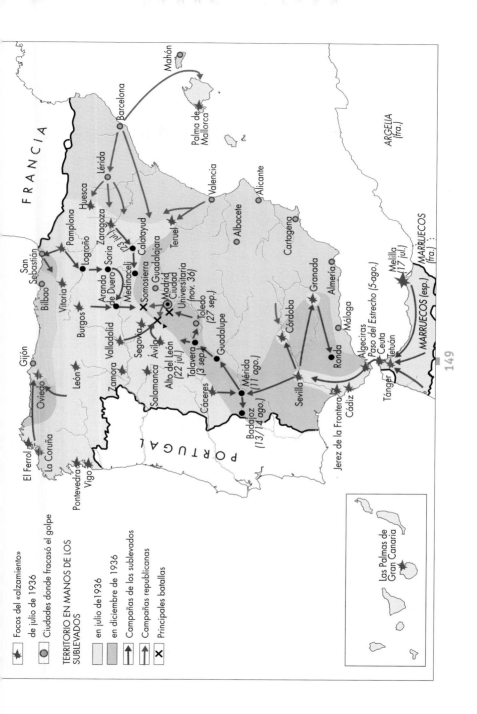

Focos del «alzamiento»
de julio de 1936

○ Ciudades donde fracasó el golpe

TERRITORIO EN MANOS DE LOS SUBLEVADOS

en julio de 1936

en diciembre de 1936

↑ Campañas de los sublevados

↑ Campañas republicanas

✕ Principales batallas

FRANCIA

ARGELIA
(fra.)

MARRUECOS
(esp.)

MARRUECOS
(fra.)

PORTUGAL

Mahón

Barcelona

Lérida

Huesca

Pamplona

San
Sebastián

Bilbao

Vitoria

Gijón

Oviedo

El Ferrol

La Coruña

Pontevedra

Vigo

León

Zamora

Valladolid

Burgos

Logroño

Soria

Zaragoza

Calatayud

Teruel

Valencia

Alicante

Albacete

Cartagena

Medinaceli

Aranda
de Duero

Somosierra

Guadalajara

Madrid
Ciudad
Universitaria
(nov. 36)

Toledo
(27 sep.)

Guadalupe

Segovia

Ávila

Salamanca

Alto del León
(22 jul.)

Talavera
(3 sep.)

Cáceres

Mérida
(11 ago.)

Badajoz
(13/14 ago.)

Sevilla

Jerez de la Frontera

Cádiz

Córdoba

Granada

Ronda

Málaga

Almería

Algeciras
Paso del Estrecho (5-ago.)

Tánger

Ceuta

Tetuán

Melilla
(17 jul.)

Palma de
Mallorca

Las Palmas de
Gran Canaria

149

6.10 La Guerra Civil española (1936-1939)

El fracaso del ataque sobre Madrid transformó el carácter de la guerra. Mientras en la retaguardia de los dos bandos se producía una sangrienta represión de los desafectos, en los campos de batalla se pasó a una guerra de desgaste. Desoyendo las peticiones de ayuda de la República, las potencias occidentales optaron por la *no intervención*, otorgando ventaja a Franco, por el apoyo que le prestaban Alemania, Italia y Portugal; la República sólo pudo contar con la ayuda de la Unión Soviética (que reforzó la influencia política de los comunistas) y con los voluntarios de las *Brigadas Internacionales*. Mientras Franco unificaba a las fuerzas bajo su mando creando un partido único en apoyo del Gobierno de Burgos, las fuerzas republicanas se mantuvieron divididas sobre la prioridad de ganar la guerra o de hacer una revolución social (dilema que provocó enfrentamientos armados en Barcelona e hizo caer del Gobierno al líder de la UGT, Largo Caballero, sustituido por Juan Negrín en 1937). A pesar de la transformación de las milicias en un ejército regular, la República no superó su inferioridad militar y sus ofensivas fracasaron una tras otra: Extremadura, Brunete, Belchite, el Ebro... El ejército franquista fue ganando terreno lentamente: liquidó la franja del norte, conquistando Asturias, Vizcaya y Santander (en la toma de esta ciudad y en la de Málaga le ayudaron tropas italianas); en cambio fracasaron en los intentos de cercar Madrid por Guadalajara o por el Jarama; pero no en Aragón, donde rompieron el frente republicano, aislando a Cataluña de la zona centro antes de conquistarla. A pesar de todo, Negrín decidió resistir, en espera de que estallara una guerra en Europa que subsumiera el conflicto español en la confrontación mundial entre el fascismo y la democracia; pero el golpe de Estado del general Casado precipitó el final, derribando al Gobierno y rindiendo a Franco el territorio republicano restante (1939).

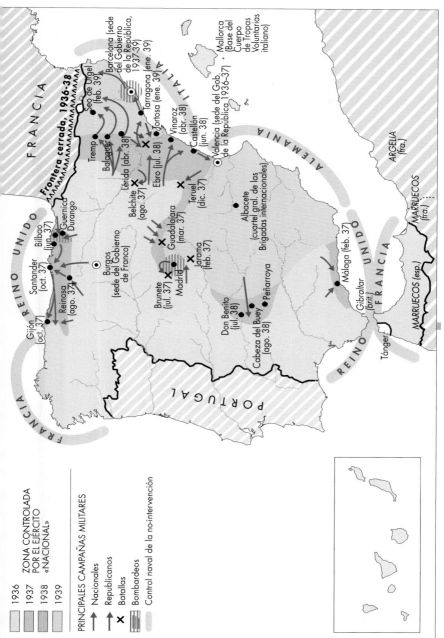

PRINCIPALES CAMPAÑAS MILITARES

	ZONA CONTROLADA POR EL EJÉRCITO «NACIONAL»
1936	
1937	
1938	
1939	

↑ Nacionales

↑ Republicanos

✕ Batallas

Bombardeos

Control naval de la no-intervención

Mapa (etiquetas):

FRANCIA

REINO UNIDO

ITALIA

ALEMANIA

PORTUGAL

ARGELIA (fra.)

MARRUECOS (fra.)

MARRUECOS (esp.)

Gibraltar (brit.)

Tánger

Frontera cerrada, 1936-38

Barcelona (sede del Gobierno de la República, 1937-39)

Mallorca (Base del Cuerpo de Tropas Voluntarias italiano)

Seo de Urgel (feb. 39)

Tarragona (ene. 39)

Tortosa (ene. 39)

Vinaroz (abr. 38)

Castellón (jun. 38)

Valencia (sede del Gob. de la República, 1936-37)

Tremp

Balaguer

Lérida (abr. 38)

Ebro (jul. 38)

Teruel (dic. 37)

Belchite (ago. 37)

Guadalajara (mar. 37)

Jarama (feb. 37)

Brunete (jul. 37)

Madrid

Albacete (cuartel gral. de las Brigadas internacionales)

Burgos (sede del Gobierno de Franco)

Guernica

Durango

Bilbao (jun. 37)

Santander (oct. 37)

Reinosa (ago. 37)

Gijón (oct. 37)

Málaga (feb. 37)

Peñarroya

Don Benito (jul. 38)

Cabeza del Buey (ago. 38)

151

6.11 La guerrilla antifranquista (1939-1959)

Franco rechazó todas las ofertas para llegar a un final negociado de la Guerra Civil y exigió una rendición incondicional. El 1 de abril de 1939 fue, pues, la fecha de la victoria franquista, pero no de la paz: la dictadura persiguió a los que habían permanecido leales al Gobierno y reprimió a quienes no demostraran una adhesión incondicional. Al final de la guerra se produjo un éxodo masivo de militantes y simpatizantes republicanos, que partieron al exilio (unos 300.000); otros no tuvieron esa posibilidad y lo pagaron con la muerte (entre 50.000 y 200.000) o con penas de cárcel (unos 270.000), trabajos forzados y depuraciones ideológicas. Y un pequeño número de antifranquistas optaron por seguir resistiendo con las armas en la mano, engrosando el *maquis* en la más genuina tradición guerrillera española; la geografía del *maquis* respondía a las posibilidades del relieve y su cronología está relacionada con el contexto político en el que se movían las

divididas fuerzas republicanas en el exilio. La Segunda Guerra Mundial (1939-45) había estallado cinco meses después de terminar la contienda española; y la lucha guerrillera constituía la última esperanza de abrir en la península un frente más de la lucha antifascista. En 1944, con la Alemania nazi prácticamente derrotada, se produjeron las operaciones más audaces, para «liberar» algún territorio español desde donde reclamar el apoyo occidental contra el último aliado de Hitler: la invasión del valle de Arán por unos 4.000 guerrilleros y un desembarco fallido en las costas de Málaga. La represión franquista fue eficaz y los republicanos no consolidaron sus conquistas. La guerrilla, alimentada sobre todo por comunistas (y en menor medida por nacionalistas vascos y sectores socialistas y anarquistas), fue muy activa en 1945-48; luego, demostrada su inviabilidad, fue abandonada como estrategia y las partidas se extinguieron a lo largo de los años cincuenta.

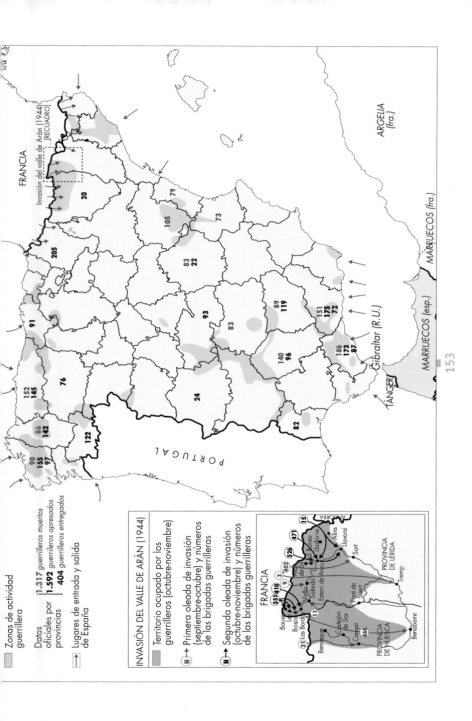

Zonas de actividad guerrillera

Datos oficiales por provincias: **1.317** *guerrilleros muertos* | **1.592** *guerrilleros apresados* | **404** *guerrilleros entregados*

↑↓ Lugares de entrada y salida de España

INVASIÓN DEL VALLE DE ARÁN (1944)

Territorio ocupado por los guerrilleros (octubre-noviembre)

(N)→ Primera oleada de invasión (septiembre-octubre) y números de las brigadas guerrilleras

(N)→ Segunda oleada de invasión (octubre-noviembre) y números de las brigadas guerrilleras

FRANCIA

Invasión del valle de Arán (1944) [RECUADRO]

ARGELIA (fra.)

MARRUECOS (fra.)

MARRUECOS (esp.)

Gibraltar (R.U.)

TÁNGER

PORTUGAL

ANDORRA

PROVINCIA DE HUESCA

PROVINCIA DE LÉRIDA

Bausen · Les · Bosost · Las Bordas · Viella · Salardú · Esterri de Aneu · Llorri · Sort · Alins · Llavorsí · Pont de Suert · Tremp · Benabarre · Campo · Castejón de Sos · Benasque

6.12 Organización militar a mediados del siglo XX

El régimen de Franco tuvo una larga vigencia (de 1939 a 1975), a pesar de su falta de legitimidad de origen. Franco aludió al «derecho de conquista», derivado de su victoria en la Guerra Civil, como fuente de su poder; pero hubo de apoyarse en dos pilares fundamentales: la Iglesia (fuente de legitimación ideológica) y el ejército. En el contexto de la «guerra fría» entre la Unión Soviética y Occidente, Franco jugó la baza de su anticomunismo y consiguió mantenerse en el poder —a pesar de haber sido un aliado de la Alemania nazi y de la Italia fascista— con el beneplácito de los Estados Unidos. Este cambio de alianzas se concretó en la firma de los acuerdos hispano-norteamericanos de 1953, que implicaban ayudas económicas a cambio de la cesión a Estados Unidos de cuatro bases militares en España. España quedó integrada por esta vía bilateral en el sistema defensivo occidental, mientras el carácter dictatorial del régimen le mantenía apartado de las organi-

zaciones europeas, como la OTAN (creada en 1948) o el Mercado Común (creado en 1957). El ejército español apenas tuvo misiones específicas de defensa en estos años, pues la descolonización de Marruecos (1956) se hizo sin una guerra previa. Las fuerzas se distribuían por el territorio como un ejército de ocupación, pensando más en conjurar los peligros de la subversión interior que una eventual amenaza exterior; y las regiones militares, basadas en la división provincial, procuraban ignorar las regiones históricas en la medida de lo posible. Aislado del exterior e intensamente ideologizado, el ejército español se quedó atrasado, carente de profesionalidad, demasiado numeroso y con exceso de mandos. La influencia política que poseían los militares y los privilegios que recibían de la dictadura contribuyeron a apartarlos de la sociedad civil, que los veía como un cuerpo extraño, cuando no como el brazo armado que sostenía a un régimen ilegítimo y opresor.

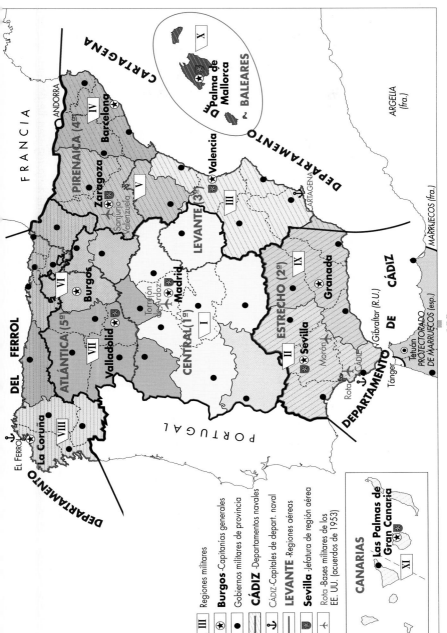

Regiones militares

Burgos -Capitanías generales

● Gobiernos militares de provincia

CÁDIZ -Departamentos navales

⚓ CÁDIZ -Capitales de depart. naval

LEVANTE -Regiones aéreas

✱ **Sevilla** -Jefatura de región aérea

✈ Rota -Bases militares de los EE. UU. (acuerdos de 1953)

CANARIAS

155

6.13 El África española

La presencia española en el continente africano era muy antigua: la proximidad, la inercia de la *Reconquista* y el deseo de contar con bases costeras para comerciar y combatir la piratería habían determinado la adquisición de enclaves como Melilla (española desde el siglo XVI) o Ceuta (desde el XVII); esta ciudad procedía del imperio portugués, que también cedió a España en el siglo XVIII las islas del Golfo de Guinea; y en el siglo XIX se adquirieron posesiones costeras en las inmediaciones de Canarias (Santa Cruz de Mar Pequeña y Río de Oro) y de Fernando Poo (Río Muni). Sobre estas bases se constituyó en el XX un imperio «de recambio», cuando la derrota militar frente a Estados Unidos obligó a abandonar las antiguas colonias de Cuba, Puerto Rico y Filipinas (1898). El juego de intereses entre las potencias europeas en el reparto de África dejó para España una pequeña colonia en Guinea Ecuatorial (1885), un territorio desértico en el Sahara occidental (1900) y un protectorado sobre el norte de Marruecos (1912). No era un gran imperio, pero superaba las posibilidades de España, como demostraron las dificultades para hacer efectiva la ocupación de Marruecos. Precisamente fue éste el primer país africano en emanciparse de España: en 1956 Francia otorgó la independencia a la parte que poseía de Marruecos y Franco no tuvo más remedio que permitir que se unificara con el territorio que administraba España en el norte; poco después se vio obligado a entregar también al Reino de Marruecos la franja norte del Sahara (Territorio del Draa, 1958) y el enclave de Ifni (1969); pero conservó Ceuta, Melilla y el Sahara. Guinea se independizó con la oleada de descolonizaciones que vivió África en los años sesenta (tras un periodo de autonomía en 1963-68). Y el Sahara fue abandonado precipitadamente por España en 1976, forzada por la *Marcha Verde* que organizó Marruecos en la delicada situación política creada por la muerte de Franco.

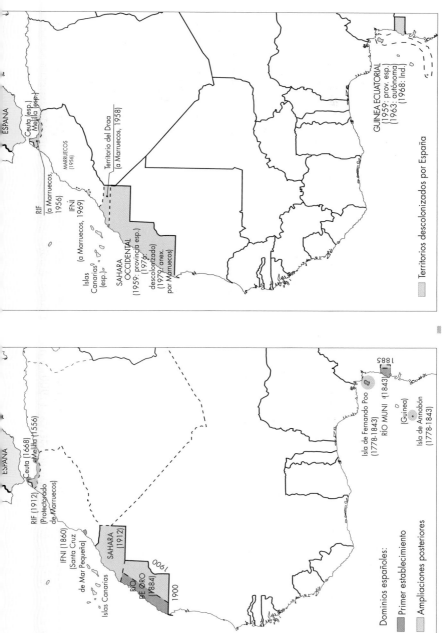

Mapa de la izquierda:

ESPAÑA

Ceuta (1668)
Melilla (1556)

RIF (1912)
(Protectorado
de Marruecos)

IFNI (1860)
(Santa Cruz
de Mar Pequeña)

Islas Canarias

SAHARA
(1912)

RÍO
DE ORO
(1884)

1900

1900

Isla de Fernando Poo
(1778-1843)

RÍO MUNI (1843)

(Guinea)

Isla de Annobón
(1778-1843)

1885

Dominios españoles:
- Primer establecimiento
- Ampliaciones posteriores

Mapa de la derecha:

ESPAÑA

Ceuta (esp.)
Melilla (esp.)

RIF
(a Marruecos,
1956)

IFNi
(a Marruecos, 1969)

MARRUECOS
(1956)

Islas
Canarias
(esp.)

Territorio del Draa
(a Marruecos, 1958)

SAHARA
OCCIDENTAL
(1959: provincia esp.)
(1976:
descolonizado)
(1979: anex.
por Marruecos)

GUINEA ECUATORIAL
(1959: prov. esp.)
(1963: autónoma)
(1968: Ind.)

Territorios descolonizados por España

6.14 El protectorado español en Marruecos (1912-1956)

En la vorágine imperialista de finales del siglo xix varias potencias plantearon ambiciones sobre el sultanato de Marruecos: Francia aspiraba a un dominio colonial; para no enfrentarse con Gran Bretaña, que no aceptaría que Francia le disputase el control del Estrecho de Gibraltar, aceptó repartir el territorio con España (convenio de 1902); y Alemania se erigió en defensora del sultán para salvaguardar sus aspiraciones comerciales y financieras. Desde la Conferencia de Algeciras (1906) España se mostró interesada en el reparto de Marruecos en «zonas de influencia» e impulsó la penetración de sus empresas en el norte. Sin embargo, se trataba de la zona más pobre de Marruecos, en donde apenas se pudieron desarrollar algunos negocios mineros (sobre todo después de que sucesivas negociaciones restringieran la zona española). En 1912 Marruecos fue dividido en dos protectorados, asignados a España y Francia, como fruto del acuerdo con Gran Bretaña y Alemania (salvando la independencia teórica del sultán y la exclusión de Tánger como ciudad internacional). Sin embargo, la ocupación efectiva de la zona española exigió un esfuerzo militar desmesurado: era una región agreste, poblada por *cabilas* guerreras que ya se habían enfrentado con éxito al ejército español desde el *desastre* del Barranco del Lobo (1909); bajo el liderazgo de Abd-el-Krim, se alzaron en armas contra la penetración de España, a la que infligieron severas derrotas (*desastre* de Annual, 1921). Convertida en una cuestión de prestigio, la ocupación sólo se completó bajo la dictadura de Primo de Rivera, cuando, con ayuda de Francia, se realizó el desembarco de Alhucemas (1925). Marruecos apenas produjo beneficios, pero exigió un ejército de ocupación, cuya rebelión contra la Segunda República contribuyó a decidir la suerte de la Guerra Civil. La independencia fue concedida en 1956, cuando Francia decidió abandonar su parte del país.

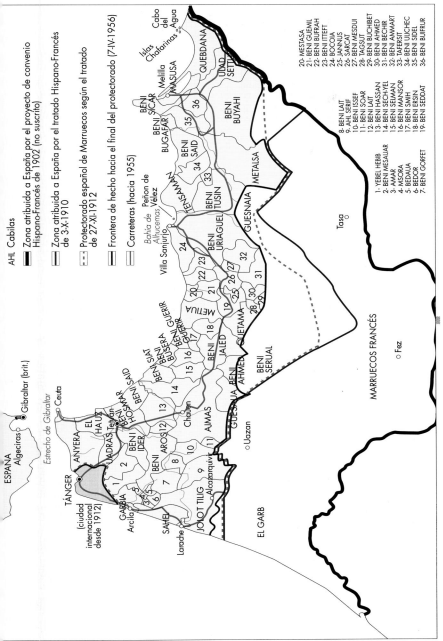

AHL Cabilas

■ Zona atribuida a España por el proyecto de convenio Hispano-Francés de 1902 (no suscrito)

▦ Zona atribuida a España por el tratado Hispano-Francés de 3-X-1910

▦ Protectorado español de Marruecos según el tratado de 27-XI-1912

▦ Frontera de hecho hacia el final del protectorado (7-IV-1956)

▦ Carreteras (hacia 1955)

ESPAÑA
Algeciras ○● Gibraltar (brit.)

Estrecho de Gibraltar

TÁNGER
(ciudad internacional desde 1912)

Ceuta

1: YEBEL HEBIB
2: BENI MESAUAR
3: AMAR
4: MSORA
5: BEDAUA
6: BEDOR
7: BENI GORFET
8: BENI LAIT
9: AHL SERIF
10: BENI ISSEF
11: BENI SOAR
12: BENI LAIT
13: BENI HASSAN
14: BENI SECH-YEL
15: BENI SELMAN
16: BENI MANSOR
17: BENI SMIH
18: BENI ERSIN
19: BENI SEDDAT
20: MESTASA
21: BENI GÜEMIL
22: BENI BUFRAH
23: BENI ITTEFT
24: BOCOIA
25: JANNUS
26: SARCAT
27: BENI MESDUI
28: TAGSUT
29: BENI BUCHIBET
30: BENI AHMED
31: BENI BECHIR
32: BENI AMMART
33: TAFERSIT
34: BENI ULICHEC
35: BENI SIDEL
36: BENI BUIFRUR

MARRUECOS FRANCÉS

○ Fez

159

6.15 La industria en la década del «desarrollismo» (1960-1970)

España fue uno de los primeros países de la Europa continental en iniciar su industrialización en la primera mitad del siglo XIX; pero aquel proceso se detuvo, estrangulado por la estrechez del mercado interior y por las debilidades del «capital humano», sin que quedara más que un foco de industria textil en torno a Barcelona. La «segunda revolución industrial» (desde el final de la última guerra carlista en 1875) hizo surgir, además, un sector siderúrgico en Vizcaya. El proteccionismo arancelario permitió sobrevivir a estos dos focos industriales durante la crisis de fin de siglo; y la coyuntura creada por la neutralidad española en la Primera Guerra Mundial (1914-18) ofreció oportunidades que consolidaron el capitalismo en España. Sobre esta base, y a pesar del retroceso que supuso la acción combinada de la *gran depresión* de los años treinta, la Guerra Civil y la política autárquica del primer franquismo, los años sesenta completaron la modernización económica de

España, convirtiéndola en la décima potencia industrial del mundo. El rápido crecimiento de estos años se produjo en un contexto mundial favorable y bajo el impulso de una política económica liberalizadora que, en gran parte, venía impuesta por el deseo de Franco de homologarse con su principal aliado, los Estados Unidos. Después de una primera apertura en los cincuenta, el Plan de Estabilización de 1959 fue el comienzo de un crecimiento industrial que sólo se detendría con la crisis de los setenta. La geografía industrial tradicional (centrada en Cataluña y el País Vasco) se completó con la aparición de focos industriales en Madrid, Asturias, Valencia, Zaragoza, Castilla, Galicia, Murcia y Andalucía. La principal novedad fue la fuerte presencia del Estado, tanto por la abundancia de regulaciones como por la formación de un sector público en sectores como la construcción naval, minería, siderurgia y armamento (nucleado en torno al Instituto Nacional de Industria).

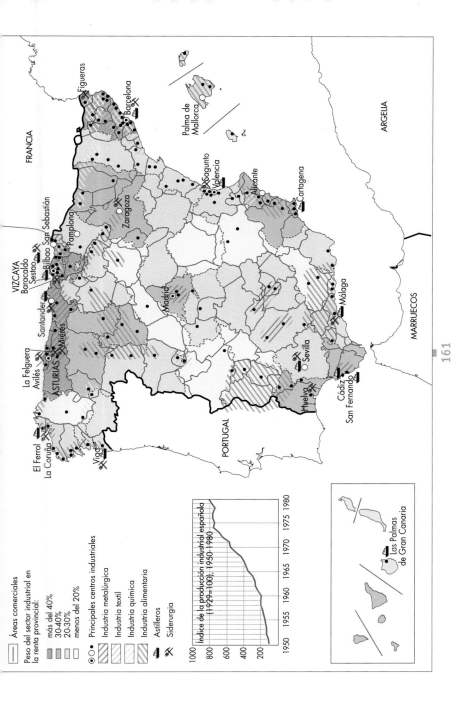

Áreas comerciales

Peso del sector industrial en la renta provincial:
- más del 40%
- 30-40%
- 20-30%
- menos del 20%

⊙○• Principales centros industriales

Industria metalúrgica

Industria textil

Industria química

Industria alimentaria

⚓ Astilleros

⚒ Siderurgia

Índice de la producción industrial española (1929=100); 1950-1980

FRANCIA

Figueras
Barcelona
Palma de Mallorca
San Sebastián
Pamplona
VIZCAYA
Baracaldo
Sestao
Bilbao
Santander
ASTURIAS
Aviles
La Felguera
Mieres
El Ferrol
La Coruña
Vigo
Zaragoza
Sagunto
Valencia
Alicante
Cartagena
Madrid
Málaga
Sevilla
Huelva
Cádiz
San Fernando

PORTUGAL

ARGELIA

MARRUECOS

Las Palmas de Gran Canaria

161

6.16 Migraciones interiores en los años sesenta

El desarrollo económico de los años sesenta otorgó a la sociedad española cierto bienestar material, que hizo más llevadera la privación de libertades y permitió que sobreviviera la dictadura de Franco. Pero el cambio económico conllevó también un intenso cambio social: muchos españoles abandonaron la agricultura al mecanizarse las labores y emigraron en busca de empleo a las grandes ciudades industriales o a las zonas turísticas. El éxodo rural (la población activa agrícola decreció en más de 1.700.000 personas) creó una nueva geografía humana (con 3.720.000 cambios de lugar de residencia en diez años): regiones como Cataluña, Madrid, el País Vasco o Valencia pasaron a tener una alta proporción de población foránea (castellana, gallega, andaluza o extremeña en su mayor parte); y esta rápida urbanización de la población ayudó a dejar atrás la mentalidad tradicional del mundo rural. Al mismo tiempo, otros españoles (1.500.000) se vieron obliga-

dos a emigrar a Europa, buscando empleo en las pujantes zonas industriales de Francia, Alemania o Suiza; estos emigrantes contribuyeron a equilibrar la balanza de pagos con las divisas que enviaban a España, pero también a abrir la mentalidad de sus paisanos con el descubrimiento de la Europa moderna y democrática. El mismo efecto tuvieron sobre las mentalidades los miles de turistas europeos que afluían cada año a las costas españolas, atraídos por el clima y los buenos precios. Estos cambios se unían a la mejora del nivel de vida, que permitía extender la educación y practicar nuevas formas de ocio y sociabilidad. La propia Iglesia católica, renovada a raíz del Concilio Vaticano II (1962-65), adoptó una actitud más abierta hacia el mundo moderno. La modernización de la sociedad española en los años sesenta intensificó la demanda de libertades y preparó la transición pacífica hacia la democracia, que se iniciaría con la muerte de Franco en 1975.

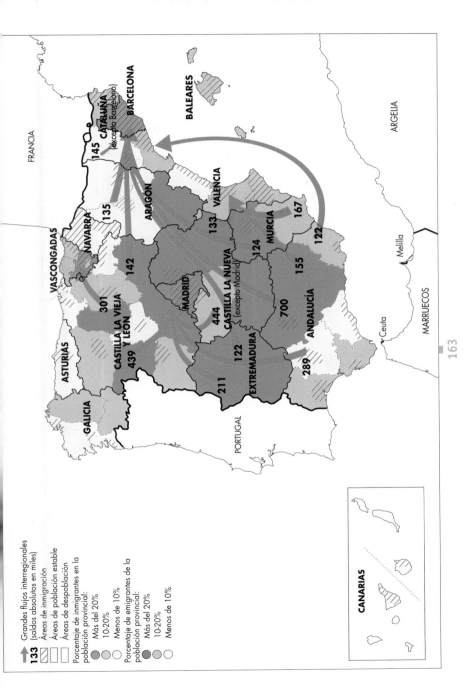

Grandes flujos interregionales
(saldos absolutos en miles)
133
Áreas de inmigración
Áreas de población estable
Áreas de despoblación
Porcentaje de inmigrantes en la
población provincial:
Más del 20%
10-20%
Menos de 10%
Porcentaje de emigrantes de la
población provincial:
Más del 20%
10-20%
Menos de 10%

FRANCIA

BARCELONA

CATALUÑA
(excepto Barcelona)

145

BALEARES

NAVARRA
135

ARAGÓN

VASCONGADAS

VALENCIA
133

ASTURIAS

CASTILLA LA VIEJA
Y LEÓN

301

142

MADRID

439

GALICIA

CASTILLA LA NUEVA
(excepto Madrid)

444

MURCIA
124

167

155

122

Melilla

ARGELIA

EXTREMADURA

122

700

ANDALUCÍA

289

Ceuta

211

PORTUGAL

MARRUECOS

CANARIAS

6.17 La Transición: elecciones de 1977

Tras la muerte de Franco (1975) se inició un proceso de transición a la democracia que asombró al mundo por su carácter pacífico. El régimen dictatorial había llegado a ser tan anacrónico que gran parte de sus dirigentes comprendieron la necesidad del cambio y se alinearon con el proyecto democratizador del rey Juan Carlos (sucesor de Franco en la jefatura del Estado por decisión de éste). El rey nombró presidente del Gobierno a Adolfo Suárez, un joven reformista procedente del partido único del régimen; éste decretó la amnistía para los presos políticos, legalizó sindicatos y partidos (incluido el comunista) y formó un nuevo partido en el que reunió a los elementos reformistas que —en su mayor parte procedentes de la Administración franquista— apoyaban los proyectos de Suárez (la *Unión de Centro Democrático*). El paso a la democracia fue una transición —y no una ruptura, como pedía la izquierda— porque se hizo desde la legalidad del régimen anterior: Suárez consiguió que los órganos de la dictadura (Consejo Nacional y Cortes orgánicas) aprobaran su Proyecto de Ley para la Reforma Política; e hizo que un referéndum popular respaldara la medida (1976). Tal como la Ley preveía, se celebraron unas elecciones democráticas, que dieron la esperada victoria a la UCD (con el respaldo de la Administración); pero demostraron también el pluralismo de la sociedad española, su memoria histórica (con el resurgimiento de formaciones como el PSOE o el PNV) y su preferencia por las opciones moderadas (PSOE y UCD, por delante de partidos más extremos, como *Alianza Popular* o el *Partido Comunista de España*); la geografía electoral seguía basándose en una periferia inclinada a la izquierda (excepto Galicia), frente a un interior conservador (exceptuando Madrid), con dos bastiones nacionalistas en el País Vasco y Cataluña. Las Cortes resultantes elaboraron una nueva Constitución, aprobada por referéndum el 6 de diciembre de 1978.

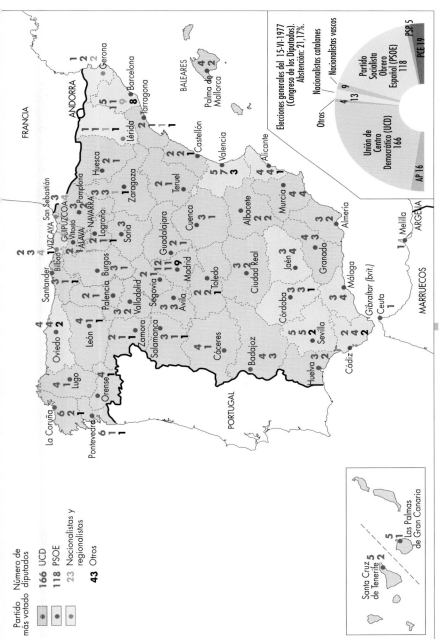

Partido, Número de más votado diputados

- **166** UCD
- **118** PSOE
- **23** Nacionalistas y regionalistas
- **43** Otros

FRANCIA

ANDORRA

La Coruña 6 2
Lugo 4 1
Orense 4 1
Pontevedra 6 1

Oviedo 4 2
Santander 4 1
VIZCAYA 2 3
Bilbao
GUIPÚZCOA 3
San Sebastián 3
Vitoria 3
ÁLAVA 1
Pamplona
NAVARRA 3
Logroño 3
Soria 1
Huesca 2 1
Zaragoza 2 1
Lérida 2
Gerona 1 2
Barcelona 8
Tarragona 1

León 4 1
Palencia 2 1
Burgos 3
Valladolid 2
Segovia 1 2
Ávila 2 1
Madrid 9
Guadalajara 1
Teruel 2
Castellón 1
Valencia 7 5
Alicante 4 3

Zamora 2 1
Salamanca 3 1
Cáceres 4 1
Toledo 2 1
Cuenca 2 1
Ciudad Real 3 2
Albacete 2 1
Murcia 4 2

Badajoz 3 3
Córdoba 5 3
Jaén 4 3
Granada 4 3
Almería 3

Huelva 3 2
Sevilla 5 2
Málaga 3 1
Cádiz 4 2
Gibraltar (brit.)
Ceuta 1
Melilla 1

PORTUGAL

MARRUECOS

ARGELIA

BALEARES
Palma de Mallorca 4 2

Elecciones generales del 15-VI-1977 (Congreso de los Diputados). Abstención: 21,17%.

Nacionalistas vascos
Nacionalistas catalanes

Otros 13
4 9
AP 16

Unión de Centro Democrático (UCD) 166

Partido Socialista Obrero Español (PSOE) 118

PCE 19
PSP 5

Santa Cruz de Tenerife 5 2

Las Palmas de Gran Canaria 5 1

165

6.18 Organización militar de la España democrática (1997)

Uno de los obstáculos que parecían más insalvables para la consolidación de la democracia en España era la actitud del ejército. La mayoría de los militares eran leales a Franco y a su régimen, conservadores, autoritarios y, sobre todo, refractarios a la legalización de las opciones políticas que se oponían a su visión de España: comunistas y «separatistas». Ciertamente, durante la Transición existieron graves amenazas involucionistas e incluso tuvo lugar un intento de golpe de Estado (el 23 de febrero de 1981); pero, en general, el ejército se mantuvo leal al poder establecido y al rey Juan Carlos (su nuevo comandante supremo), aceptó disciplinadamente su sumisión al poder civil (incluso cuando, en 1982, las elecciones dieron el Gobierno a los socialistas) y no cayó en las provocaciones terroristas. Gradualmente, el ejército se fue profesionalizando, se modernizó tecnológicamente y se reformó para ganar en agilidad y eficacia; y, al ritmo de la renovación genera-cional de sus mandos, los militares aceptaron el nuevo papel que les tocaba desempeñar, alejado de la política y concentrado en las misiones defensivas que les encomendaran las instituciones democráticas. La integración de España en la OTAN en 1981 (bendecida a posteriori por el Gobierno socialista y por un referéndum popular celebrado en 1986) fue un paso decisivo para la modernización de los tres ejércitos. La reorganización territorial muestra su alejamiento de las funciones de control del orden interno, para orientarse a prevenir las amenazas potenciales previstas en el Plan Estratégico Conjunto; tales amenazas se sitúan sobre todo en el Mediterráneo y el Estrecho de Gibraltar, y tienen que ver con la inserción de España en la estructura militar de la OTAN (que se produjo en 1997). La paulatina reducción del servicio militar obligatorio apunta hacia su eliminación, compensada por un esfuerzo presupuestario en la mejora cualitativa de las Fuerzas Armadas.

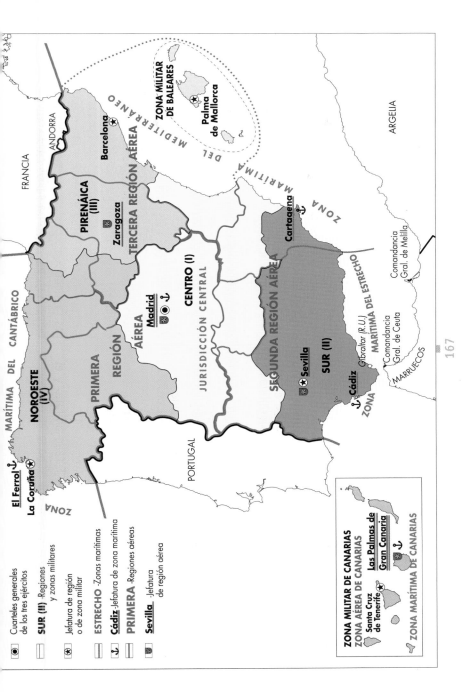

MARÍTIMA DEL CANTÁBRICO

FRANCIA

ANDORRA

ZONA MILITAR DE BALEARES

Palma de Mallorca

Barcelona ★

PIRENÁICA (III)

Zaragoza ✳

TERCERA REGIÓN AÉREA

DEL MEDITERRÁNEO

ZONA MARÍTIMA

El Ferrol ⚓

La Coruña ★

ZONA

NOROESTE (IV)

PRIMERA REGIÓN

AÉREA

Madrid ⚓
✳ ◉

CENTRO (I)

JURISDICCIÓN CENTRAL

Cartagena ⚓

SEGUNDA REGIÓN AÉREA

Sevilla ✳ ★

SUR (II)

Cádiz ⚓

Gibraltar (R.U.)

MARÍTIMA DEL ESTRECHO

ZONA

PORTUGAL

Comandancia Gral. de Ceuta

Comandancia Gral. de Melilla

MARRUECOS

ARGELIA

167

Leyenda:

◉ Cuarteles generales de los tres ejércitos

▯ **SUR (II)** - Regiones y zonas militares

✳ Jefatura de región o de zona militar

▯ **ESTRECHO** - Zonas marítimas

⚓ **Cádiz** -Jefatura de zona marítima

▯ **PRIMERA** Regiones aéreas

▨ **Sevilla** - Jefatura de región aérea

ZONA MILITAR DE CANARIAS
ZONA AÉREA DE CANARIAS

Santa Cruz de Tenerife ★

Las Palmas de Gran Canaria ⚓
✳

ZONA MARÍTIMA DE CANARIAS

6.19 La España de las autonomías

La Constitución de 1978, fruto de un amplio consenso político, diseñó un Estado social y democrático de derecho, en el que quedaron ampliamente reconocidos los derechos y libertades tanto individuales como sociales. Manteniendo la forma monárquica del Estado, el poder político pasó a manos de un Parlamento bicameral elegido por sufragio universal y de un Gobierno que contara con la confianza de dicho Parlamento. El aspecto más difícil de consensuar —y el que a la larga provocaría más conflictos— fue la estructura territorial del Estado (definida en el título VIII). Los constituyentes no definieron una estructura completa, sino que fijaron las reglas para un proceso de definición gradual en el que adquirirían protagonismo los representantes de los territorios afectados. El resultado, que recuerda lejanamente al *Estado integral* previsto en 1931, es una fórmula a medio camino entre el Estado unitario y el federal, con la peculiaridad que supone el reconoci-

miento de los «derechos históricos» de las Provincias Vascongadas y Navarra en una disposición que encaja mal con la soberanía nacional reconocida por el artículo 1. La Constitución reservó una serie de competencias mínimas para el Estado; definió otra lista mínima de competencias que asumirían las futuras *comunidades autónomas*; y dejó abierto todo lo demás, para que fueran negociaciones y pactos entre las partes los que trazaran el mapa de las comunidades autónomas y el nivel de competencias que cada una asumiría. Las regiones con una identidad más definida (Cataluña, País Vasco, Galicia y Andalucía) iniciaron enseguida sus procesos autonómicos por la vía más rápida de las previstas, aprobando sus estatutos por referéndum; y los partidos políticos con implantación en toda España decidieron extender la fórmula autonómica a las restantes regiones (aunque fuera por una vía más lenta y menos participativa), para evitar agravios comparativos.

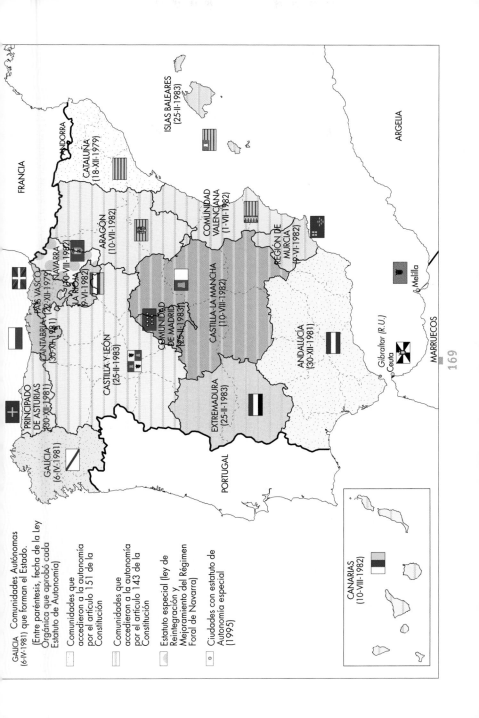

GALICIA Comunidades Autónomas (6-IV-1981) que forman el Estado.

(Entre paréntesis, fecha de la Ley Orgánica que aprobó cada Estatuto de Autonomía)

Comunidades que accedieron a la autonomía por el artículo 151 de la Constitución

Comunidades que accedieron a la autonomía por el artículo 143 de la Constitución

Estatuto especial (ley de Reintegración y Mejoramiento del Régimen Foral de Navarra)

Ciudades con estatuto de Autonomía especial (1995)

CANARIAS (10-VIII-1982)

FRANCIA

ANDORRA

ISLAS BALEARES (25-II-1983)

CATALUÑA (18-XII-1979)

COMUNIDAD VALENCIANA (1-VII-1982)

ARGELIA

ARAGÓN (10-VII-1982)

REGIÓN DE MURCIA (9-VI-1982)

NAVARRA (10-VIII-1982)

LA RIOJA (9-VI-1982)

PAÍS VASCO (22-XII-1979)

CANTABRIA (30-XII-1981)

CASTILLA-LA MANCHA (10-VIII-1982)

COMUNIDAD DE MADRID (25-II-1983)

CASTILLA Y LEÓN (25-II-1983)

PRINCIPADO DE ASTURIAS (30-XII-1981)

GALICIA (6-IV-1981)

ANDALUCÍA (30-XII-1981)

EXTREMADURA (25-II-1983)

PORTUGAL

Gibraltar (R.U.)
Ceuta

Melilla

MARRUECOS

169

Fuentes

1.1: Artola, dir. (1993); Vigil (1985); Vicens Vives (1965); Kinder y Hilgemann (1994).

1.2: Artola, dir. (1993); Duby (1997); Westermann (1988).

1.3: Bleiberg, dir. (1986); Duby (1997); Kinder y Hilgemann (1994); Vigil (1985).

1.4: Duby (1997); Vigil (1985).

1.5: Artola, dir. (1993); Vigil (1985).

1.6: García de Cortázar (1973); Vigil (1985); Lacarra (1979).

1.7: García de Cortázar (1973); Lacarra (1979); Westermann (1988).

1.8: Artola, dir. (1993); García de Cortázar (1973); Vicens Vives (1965).

2.1: Ubieto, Reglá, Jover y Seco (1972); Westermann (1988); García de Cortázar (1973); Soldevila (1961); Artola, dir. (1993); Claramunt, Riu, Torres y Trepat (1980).

2.2: Artola, dir. (1991 y 1993); Ubieto, Reglá, Jover y Seco (1972); Claramunt, Riu, Torres y Trepat (1980).

2.3: Artola, dir. (1991 y 1993); Ubieto, Reglá, Jover y Seco (1972); Atlas... (1977).

2.4: Duby (1997); García de Cortázar (1973); Ubieto, Reglá, Jover y Seco (1972).

2.5: Ubieto, Reglá, Jover y Seco (1972); Atlas... (1977); Artola, dir. (1991 y 1993).

2.6: Bleiberg, dir. (1986); Artola, dir. (1993).

2.7: Duby (1997); Ubieto, Reglá, Jover y Seco (1972); Artola, dir. (1993); Claramunt, Riu, Torres y Trepat (1980); García de Cortázar (1973).

2.8: Artola, dir. (1993); Ubieto, Reglá, Jover y Seco (1972); Atlas... (1977); García de Cortázar (1973).

2.9: Artola, dir. (1993), Bleiberg dir. (1986); García de Cortázar (1973).

3.1: Black (1993); Duby (1997); Pérez (1988).

3.2: Pérez Villanueva y Escandell (1984).

3.3: Fernández Armesto (1992); Céspedes del Castillo (1979); Morales Padrón (1988).

3.4: Darby y Fullard (1980); Fernández Armesto (1992); Morales Padrón (1988); Westermann (1988).

3.5: Rady (1991); Putzger (1965); Shepherd (1974); Tyler (1959).

3.6: Céspedes del Castillo (1979); Morales Padrón (1988); Westermann (1988).

3.7: Fernández Armesto (1992); Morales Padrón (1988); Westermann (1988).

3.8: Fernández Armesto (1992); Morales Padrón (1988).

3.9: *Atlas Nacional...* (1992); Cordero de Torres (1960); Garrigós (1982); Goss (1991); Hespanha (1989); Martín Postigo (1982); Molas (1984); Pérez Villanueva y Escandell (1984).

3.10: Pérez Villanueva y Escandell (1984).

3.11: Darby y Fullard (1980); Putzger (1965); Shepherd (1974); Treharne y Fullard (1973).

3.12: Artola, dir. (1993); Cordero de Torres (1960); Valladares (1996); Veríssimo Serrao (1982); Vovelle, dir. (1984).

3.13: Hespanha (1989); Lunenfeld (1989); Martín Postigo (1982); Molas (1984).

3.14: Darby y Fullard (1980); Morales Padrón (1988); Rubio Mañé (1983); Shepherd (1974).

4.1: Artola, dir. (1993); Kamen (1974).

4.2: Bély (1992); Putzger (1965); Shepherd (1974); Treharne y Fullard (1973).

4.3. Anes (1981); *Atlas Nacional...* (1992); Garrigós (1982).

4.4. Artola, dir. (1993); Garrigós (1982); Martín Postigo (1982).

4.5. Garrigós (1982).

4.6: Morales Padrón (1988); Rubio Mañé (1983); Shepherd (1974).

4.7: Garrigós (1982); Burgueño (1996).

5.1: González Antón (1988); Artola (1989); *Prontuario...* (1810-12).

5.2: Garrigós (1982); Burgueño (1996).

5.3: *Colección Legislativa* (1822); Burgueño (1996).

5.4: Morales Padrón (1988); Artola, dir. (1993); Barraclough, dir. (1982).

5.5: Burgueño (1990 y 1996); Guaita (1975).

5.6: Bullón de Mendoza (1992); Vicens Vives (1965).

5.7: Burdiel (1987).

5.8: Martínez Cuadrado (1969).

5.9: Esteban (1977); Vilar (1977 y 1978); Gascón (1974); Calero (1973); López Cordón (1980); Hennessy (1967).

5.10 y 5.11: Martínez Cuadrado (1969).

5.12: Atlas... (1957); Artola, dir. (1991); Guías de forasteros; Colección Legislativa (1834).

5.13: Avellana (1859).

5.14: Darby y Fullard (1980); Morales Padrón (1988); Ubieto, Reglá, Jover y Seco (1972).

6.1: López Garrido (1982); Avellana (1859); Artola, dir. (1978).

6.2: González Antón (1988); Artola (1991); Javierre, dir. (1979); Gran Enciclopedia... (1980-82); Macías, dir. (1994); Gran Enciclopedia... (1995); Mas, dir. (1972).

6.3: Gran Enciclopedia... (1978); Enciclopedia... (1981); Soldevila (1923).

6.4: Maurice (1989); Tuñón de Lara (1972); Tuñón de Lara, dir. (1981).

6.5: Martínez Cuadrado (1969).

6.6: Martínez Cuadrado (1969); Andrés-Gallego, coord. (1981).

6.7: Artola, dir. (1993); Tuñón de Lara (1972).

6.8: Tusell y otros (1971); Varela (1978).

6.9 y 6.10: Jackson (1995); Artola, dir. (1993); Kinder y Hilgemann (1994); Paniagua (1990); Salas (1986).

6.11: Tuñón de Lara, dir. (1980); Pons Prades (1977); Aguado (1976); Sorel (1970); Limia (1957).

6.12: Atlas... (1957).

6.13: Bleiberg, dir. (1986); Darby y Fullard (1980); Artola, dir. (1991).

6.14: Atlas... (1955); Bleiberg, dir. (1986).

6.15: Atlas... (1966); Atlas... (1963); Renta... (1962); Carreras, coord. (1989).

6.16: Las migraciones... (1974); Barbancho (1974).

6.17: Heras (1997).

6.18: Datos... (1987); Anuario... (1998).

6.19: Anuario... (1995); Garrigós (1995); mapas oficiales del Instituto Geográfico Nacional.

PORTADILLAS:

Primera parte: *La Hispania de Ptolomeo,* siglo II. Copia siglo XV, Biblioteca de la Universidad de Valencia

Segunda parte: *Tabula Rogeriana* de Al Idrisí, 1154. Atlas anual de España del Instituto Geográfico Nacional

Tercera parte: *Mapa de España* de Henricus Hondi, 1631. Instituto Geográfico Nacional

Cuarta parte: *Mapa de España* de Tomás López, 1792. Atlas anual de España del Servicio Geográfico del Ejército

Quinta parte: *Mapa de España y Portugal del Atlas de España y sus posesiones de Ultramar* de Francisco de Coello, 1863. Centro de Gestión Catastral y Cooperación Tributaria

Sexta parte: Ortoimagen espacial satélite Landsat. Instituto Geográfico Nacional

Bibliografía

AGUADO SÁNCHEZ, Francisco (1976): *El maquis en España*, San Martín, Madrid.

ANDRÉS-GALLEGO, José, coord. (1981): *Historia general de España y América. XVI-2: Revolución y Restauración (1868-1931)*, Rialp, Madrid.

ANES, Gonzalo (1981): *El Antiguo Régimen: Los Borbones*, tomo 4 de la *Historia de España* dirigida por M. Artola, Alianza Editorial, Madrid.

Anuario «El País», Ediciones «El País», Madrid, 1982-1999.

ARTOLA, Miguel (1991): *Partidos y programas políticos, 1808-1936*, Alianza Editorial, Madrid.

—(1989): *La España de Fernando VII*, tomo XXXII de la *Historia de España de Menéndez Pidal*, dir. por J. M. Jover, Espasa Calpe, Madrid.

ARTOLA, Miguel, dir. (1978): *Los ferrocarriles en España, 1844-1943*, Banco de España, Madrid.

—(1991): *Enciclopedia de Historia de España. 5: Diccionario temático*, Alianza Editorial, Madrid.

—(1993): *Enciclopedia de Historia de España. 6: Cronología, mapas, estadísticas*, Alianza Editorial, Madrid.

Atlas comercial de España, Cámaras Oficiales de Comercio, Industria y Navegación, Madrid, 1963.

Atlas geográfico de España con noticias históricas de sus provincias, Madrid, s.a.

Atlas histórico y geográfico de África española, Instituto de Estudios Africanos, Madrid, 1955.

Atlas histórico integral Spes, Bibliograf, Barcelona, 1977.

Atlas industrial de España, 1964-65, Cámaras Oficiales de Comercio, Industria y Navegación de España, Madrid, 1966.

Atlas medio de España, Aguilar, Madrid, 1957.

Atlas Nacional de España, Grupo 14, sección IV, Instituto Geográfico Nacional, Madrid 1992.

AVELLANA, Miguel (1859): *Colección de mapas especiales de España,* Madrid.

BARBANCHO, Alfonso G. (1974): *Las migraciones exteriores españolas en 1961-70,* Instituto de Estudios Económicos, Madrid.

BARRACLOUGH, Geoffrey, dir. (1982): *The Times Concise Atlas of World History,* Times, Londres.

BÉLY, Lucien (1992): *Les relations internationales en Europe, XVIIe.-XVIIIe. Siècle,* Presses Universitaires de France, París.

BLACK, C.F., y otros (1993): *Atlas of the Renaissance,* Andromeda Books, Oxford.

BLEIBERG, Germán, dir. (1986): *Diccionario de historia de España,* Alianza Editorial, Madrid.

BULLÓN DE MENDOZA, Alfonso (1992): *La primera guerra carlista,* Actas, Madrid.

BURDIEL, Isabel (1987): *La política de los notables. Moderados y avanzados durante el régimen del Estatuto Real (1834-36),* Alfons el Magnànim, Valencia.

BURGUEÑO, Jesús (1990): «Modificacions del mapa provincial espanyol des de 1834», *Treballs de la Societat Catalana de Geografia,* núm. 24, pp. 13-35.

—(1996): *Geografía política de la España constitucio-*

nal. La división provincial, Centro de Estudios Constitucionales, Madrid.

CALERO AMOR, Antonio María (1973): «Los cantones de Málaga y Granada», en M. Tuñón de Lara y otros: Sociedad, política y cultura en la España de los siglos xix y xx, Edicusa, Madrid, pp. 81-90.

—(1987): La división provincial de 1833. Bases y antecedentes, Instituto de Estudios de la Administración Local, Madrid.

CARRERAS, Albert, coord. (1989): Estadísticas históricas de España, siglos xix y xx, Fundación Banco Exterior, Madrid.

CÉSPEDES DEL CASTILLO, Guillermo (1979): «Las Indias en tiempos de los Reyes Católicos» en J. Vicens Vives (dir.): Historia de España y América. Social y Económica, vol. II, pp. 431-481, Vicens Vives, Barcelona.

CLARAMUNT, Salvador, Manuel RIU, Cristóbal TORRES y Cristòfol-A. TREPAT (1980): Atlas de historia medieval, Aymà, Barcelona.

CORDERO DE TORRES, José María (1960): Fronteras Hispánicas, Instituto de Estudios Políticos, Madrid.

DANTÍN CERECEDA, Juan, y V. LORIENTE CANCIO (1936): Atlas histórico de la América hispano-portuguesa, Madrid.

DARBY, H. C., y Harold FULLARD (1980): Historia Cambridge del mundo moderno. XIV: Atlas, Sopena, Barcelona.

Datos y cifras, Ministerio de Defensa, Madrid, 1987.

DUBY, Georges (1997): Atlas histórico mundial, Debate, Madrid.

Enciclopedia General Ilustrada del País Vasco, Auñamendi, San Sebastián, 1981.

ESTEBAN, Jorge de (1977): Constituciones españolas y extranjeras, Taurus, Madrid.

FERNÁNDEZ ARMESTO, F., dir. (1992): Atlas Times de los descubrimientos, Plaza y Janés, Barcelona.

GARCÍA DE CORTÁZAR, José Ángel (1973): *La época medieval*, tomo 2 de la *Historia de España* dirigida por M. Artola, Alianza Editorial, Madrid.

GARRIGÓS, Eduardo (1982): «Organización territorial a fines del Antiguo Régimen», en M. Artola (ed.): *La economía española al final del Antiguo Régimen. IV. Instituciones*, Alianza Editorial-Banco de España, Madrid, pp. 1-105.

—(1995): *Las autonomías: historia de su configuración territorial*, Anaya, Madrid.

GASCÓN PELEGRÍ, Vicente (1974): *El cantonalismo en la ciudad y reino de Valencia*, Marí Montañana, Valencia.

GONZÁLEZ ANTÓN, Luis (1988): «El territorio y su ordenación político-administrativa», en M. Artola (dir.): *Enciclopedia de Historia de España. 2. Instituciones políticas. Imperio*, Alianza Editorial, Madrid, pp. 11-92.

GOSS, John, ed. (1991): *Gran Atlas Blaeu. El mundo del siglo diecisiete*, Royal Geographical Society – Libsa, Madrid.

Gran Enciclopedia Aragonesa, Unión Aragonesa del Libro, Zaragoza, 1980-82.

Gran Enciclopedia Catalana, Enciclopedia Catalana, Barcelona, 1978.

Gran Enciclopedia de Mallorca, Promomallorca, Palma de Mallorca, 1995.

GUAITA, Aurelio (1975): *División territorial y descentralización*, Instituto de Estudios de la Administración Local, Madrid.

HENNESSY, C. A. M. (1967): *La República Federal en España. Pi y Margall y el movimiento republicano federal (1868-1874)*, Aguilar, Madrid.

HERAS, Raúl (1997): *Enciclopedia política y atlas electoral de la democracia española*, Temas de Hoy, Madrid.

HESPANHA, Antonio Manuel (1989): *Vísperas del Leviatán. Instituciones y poder político (Portugal siglo XVII)*, Taurus, Madrid.

JACKSON, Gabriel (1995): *La República española y la Guerra Civil*, Crítica, Barcelona.

JAVIERRE, José María, dir. (1979): *Gran Enciclopedia de Andalucía*, Promociones Culturales Andaluzas, Sevilla.

KAMEN, Henry (1974): *La Guerra de Sucesión en España*, Grijalbo, Barcelona.

KINDER, Hermann, y Werner HILGEMANN (1994): *Atlas histórico mundial*, Istmo, Madrid.

LACARRA, José (1979): *Historia de la Edad Media*, Montaner y Simón, Barcelona.

LIMIA PÉREZ, Eulogio (1957): *Reseña general del bandolerismo en España después de la Guerra Civil*, Dirección General de la Guardia Civil, Madrid.

LÓPEZ-CORDÓN, María Victoria (1980): *La Revolución de 1868 y la I República*, Siglo XXI, Madrid.

LÓPEZ GARRIDO, Diego (1982): *La Guardia Civil y los orígenes del Estado centralista*, Crítica, Barcelona.

LUNENFELD, Marvin (1989): *Los corregidores de Isabel la Católica*, Labor, Barcelona.

MACÍAS HERNÁNDEZ, Antonio Manuel, dir. (1994): *Gran Enciclopedia Canaria*, Ediciones Canarias, Las Palmas de Gran Canaria.

MARTÍN POSTIGO, María de la Soterraña (1982): *Los presidentes de la Real Chancillería de Valladolid*, Universidad de Valladolid, Valladolid.

MARTÍNEZ CUADRADO, Miguel (1965): *Elecciones y partidos políticos de España (1868-1931)*, Taurus, Madrid.

MAS, Manuel, dir. (1972): *Gran Enciclopedia de la Región Valenciana*, Heraclio Fournier, Vitoria.

MAURICE, Jacques (1989): *El anarquismo andaluz. Campesinos y sindicalistas, 1868-1936*, Crítica, Barcelona.

Las migraciones interiores en España. Decenio 1961-70, Ministerio de Planificación del Desarrollo. Instituto Nacional de Estadística, Madrid, 1974.

MOLAS, Pere (1984): *Consejos y Audiencias durante el reinado de Felipe II*, Universidad de Valladolid, Valladolid.

MORALES PADRÓN, Francisco (1988): *Atlas histórico y cultural de América*, Consejería de Cultura y Deportes del Gobierno de Canarias, Las Palmas de Gran Canaria.

PANIAGUA, Javier (1990): *España: siglo xx (1931-1939)*, Anaya, Madrid.

PÉREZ, Joseph (1988): *Isabel y Fernando. Los Reyes Católicos*, Nerea, Madrid.

PÉREZ VILLANUEVA, J., y B. ESCANDELL BONET, dirs.

(1984): *Historia de la Inquisición en España y América*, BAC-CEI, Madrid.

PONS PRADES, Eduardo (1977): *Guerrillas españolas, 1936-1960*, Planeta, Barcelona.

Prontuario de Leyes y Decretos del Rey Nuestro Señor José Napoleón I, Madrid, 1810.

PUTZGER, F. W. (1965): *Historischer WeltAtlas*, Verlagen & Klaring, Bielefeld-Hannover-Berlín.

RADY, Martin (1991): *Carlos V*, Alianza Editorial, Madrid.

Renta nacional de España y su distribución provincial, Banco de Bilbao, Madrid, 1962.

RUBIO MAÑÉ, Jose Ignacio (1983): *El virreinato*, Fondo de Cultura Económica, México.

SALAS LARRAZÁBAL, Ramón y Jesús María (1986): *Historia general de la Guerra de España*, Rialp, Madrid.

SHEPHERD, William R. (1974): *Shepherd's Historical Atlas*, G. Philip & Son, Londres.

SOLDEVILA, Ferrán (1923): *Resum d'història dels Països Catalans*, ed. de Barcino, Barcelona, 1974.

SOLDEVILA, Ferrán, dir. (1961): *Historia dels catalans*, Ariel, Barcelona.

SOREL, Andrés (1970): *Guerrilla española en el siglo XX*, Librairie du Globe, París.

TREHARNE, R. F., y Harold FULLARD (1973): *Muirs Historical Atlas*, G. Phillip & Son, Londres.

TUÑÓN DE LARA, Manuel (1972): *El movimiento obrero en la historia de España*, Taurus, Madrid.

TUÑÓN DE LARA, Manuel, dir. (1980): *Historia de España. X: España bajo la dictadura franquista (1939-1975)*, Labor, Barcelona.

—(1981): *Historia de España. VIII: Revolución burgue-*

sa, oligarquía y constitucionalismo (1834-1923), Labor, Barcelona.

TUSELL, Javier, y otros (1971): *Las elecciones del Frente Popular en España*, Cuadernos para el Diálogo, Madrid.

TYLER, Royall (1959): *El emperador Carlos V*, Juventud, Barcelona.

UBIETO, Antonio, Juan REGLÁ, José María JOVER y Carlos SECO (1972): *Introducción a la historia de España*, Teide, Barcelona.

VALLADARES, Rafael (1996): «Portugal y el fin de la hegemonía hispánica», *Hispania*, LVI/2, núm. 193, pp. 517-539.

VARELA, Santiago (1978): *Partidos y Parlamento en la Segunda República*, Ariel-Fundación Juan March, Barcelona-Madrid.

VERISSIMO SERRAO, Joaquim (1982): *Historia de Portugal, V: (1640-1750)*, Verbo, Povoa de Varzim.

VICENS VIVES, Jaime (1940): *España. Geopolítica del Estado y del Imperio*, Yunque, Barcelona.

—(1965): *Atlas de historia de España*, Teide, Barcelona.

VIGIL, Marcelo (1985): «Edad Antigua», en el tomo 1 de la *Historia de España* dirigida por M. Artola, Alianza Editorial, Madrid.

VILAR, Juan Bautista (1977): «Aportación al estudio del cantón manchego», *Cuaderno de Estudios Manchegos*, núm. 7, pp. 161-172.

—(1978): "Aproximación al cantón murciano", *Hispania*, XXXVIII, pp. 641-678.

VOVELLE, Michel dir. (1984): *La Edad Moderna Europea: el trágico siglo XVII*, volumen XVII de *Historia Universal Salvat*, Salvat, Barcelona.

Westermann Grosser Atlas zur Weltgeschichte, Westermann, Braunschweig, 1988.